FEDERICO GARCÍA LORCA

EPISTOLARIO, I

Introducción, edición y notas de
Christopher Maurer

© Herederos de Federico García Lorca
© Introducción, edición y notas: Christopher Maurer
© Alianza Editorial, S. A., Madrid, 1983
Calle Milán, 38; 200 00 45
ISBN: 84-206-...
Depósito legal: M. ...
Papel fabricado por ...
Compuesto ...
Impreso en Closas-Orcoyen, S. L. Polígono
Igarsa. Paracuellos del Jarama (Madrid)
Printed in Spain

ALIANZA EDITORIAL

© Herederos de Federico García Lorca
© Introducción, edición y notas: Christopher Maurer
© Alianza Editorial, S. A., Madrid, 1983
Calle Milán, 38; ☎ 200 00 45
ISBN: 84-206-6109-0 (Tomo I)
ISBN: 84-206-6199-6 (O. C.)
Depósito legal: M. 41.060-1982
Papel fabricado por Papelera del Mediterráneo, S. A.
Compuesto en Fernández Ciudad, S. L.
Impreso en Closas-Orcoyen, S. L. Polígono Igarsa
Paracuellos del Jarama (Madrid)
Printed in Spain

INDICE

Introducción, por Christopher Maurer,   9

A María del Reposo Urquía,   15

A Adriano del Valle,   16, 23, 80

A Angel Barrios,   20, 103

A Antonio Gallego Burín,   21, 28, 89, 128

A Emilia Llanos Medina,   25, 26

A Regino Sainz de la Maza,   29, 52, 54, 65, 121, 141

A Melchor Fernández Almagro,   30, 33, 34, 40, 43, 46,
    53, 54, 57, 59, 61, 63, 65, 81, 84, 87, 92, 94, 97, 101,
    108, 109, 117, 120, 125, 127, 129, 132, 146, 152, 169,
    170, 172, 176

A Adolfo Salazar,   36, 48, 51

A Antonio Rodríguez Espinosa,   55

A Manuel de Falla,   55, 56, 67, 68, 71, 83, 86, 91, 107,
    119, 153, 156

A Francisco García Lorca,   67, 124, 143

A. J. de Ciria y Escalante y a Melchor Fernández Almagro, 69, 72

A Gregorio Prieto, 90, 91

A José María Chacón y Calvo, 92, 116

A Constantino Ruiz Carnero, 104

A su familia, 104

A Jorge Guillén, 106, 111, 124, 128, 147, 154, 157, 159, 160, 161, 171, 177

A José García Rodríguez, 108

A Hermenegildo Lanz, 109

A Fernando Vílchez, 110

A Ana María Dalí, 111, 117, 121, 130, 140

A José Bello, 113, 114, 115

A Juan Ramón Jiménez, 127

A Rafael Alberti, 129

A Salvador Dalí, 157

A Eduardo Marquina, 158

APÉNDICE, 183

PROCEDENCIA DE LAS CARTAS, 191

INTRODUCCION

Con estos dos volúmenes damos un importante paso hacia la colección y ordenación de todo el epistolario de Federico García Lorca. Ese futuro volumen «completo», aunque está en vías de preparación, queda todavía lejos.

En el prólogo a su colección de *Cartas, postales, poemas y dibujos* de García Lorca, del año 1968, Antonio Gallego Morell resume las tentativas hechas, hasta aquel año, por él y otros investigadores, para completar el epistolario. No pienso repasar de nuevo esa historia, que empieza poco después de la muerte del poeta. Basta señalar, como sus dos momentos más importantes, la aparición en 1950 de *Cartas a sus amigos,* una colección de 41 cartas inéditas, y la publicación en 1959 del epistolario entre García Lorca y Jorge Guillén. En sucesivas ediciones de las *Obras completas* (Madrid: Aguilar, 1954 y siguientes) Arturo del Hoyo ha ido recogiendo cartas procedentes de diversos libros y revistas, hasta reunir, en la veintiuna edición, 263 cartas y fragmentos epistolares.

Gracias a la colaboración de Mario Hernández, hoy podemos añadir a este acervo otras 12 comunicaciones rigurosamente inéditas. Sin embargo, creo que el valor principal de este libro es de otro orden. Durante años recientes, la crítica en torno a García Lorca parece haberse dado cuenta de los riesgos de la «interpretación» sin la previa fijación del texto. Atestiguan esta nueva atención a la depuración del texto (sobre todo el texto de *Poeta en Nueva York*) los artículos y libros de Eutimio Martín, Daniel Eisenberg, Piero Menarini, Rafael Martínez Nadal, Marie Laffranque y Mario Hernández, en esta serie de *Obras* de Alianza Editorial.

Consciente de lo insatisfactorio de los textos de que hemos dispuesto hasta ahora, y uniéndome a los investigadores anteriormente citados, me ha parecido oportuno, antes de emprender la búsqueda de más cartas inéditas, un momento de pausa y trabajo sobre el material existente, para que el lector disfrute de una edición más fiel de las cartas que ya tenemos, y para que el estudioso de Lorca disponga de un instrumento de trabajo más seguro y, desde luego, menos caro y más fácil de manejar. Mi labor ha tenido dos vertientes: la corrección del texto y la ordenación de las cartas.

Después de reunir fotocopias y otros facsímiles y de cotejarlos con las versiones impresas, he podido corregir alrededor de un centenar de erratas y errores de transcripción. El obtener fotocopias es una tarea molesta cuando se trata de cartas, que, aún después de ser publicadas, retienen su carácter personal e íntimo. Al pedir una fotocopia, la carta ha de salir una segunda vez del cajón o el armario, y, odiosamente, parece ponerse en duda el trabajo del primer editor. Por razones circunstanciales, no ha sido posible hacer un cotejo de *todas* las cartas. Pero sí se ha revisado el texto de numerosas cartas aisladas, y el de algunos de los grupos más importantes: las cartas a Ana María Dalí, a Jorge Guillén y casi todas las que Lorca dirige a Melchor Fernández Almagro y a Manuel de Falla. Tal labor (como el mismo Guillén le escribe a Lorca a propósito de un recién comprado fichero) «comporta fatalmente su dosis de farsantería y de pedantería», y el placer de restaurar tal o cual palabra, o descubrir la tontería de un editor previo se enfría, demasiadas veces, ante los que aseguran que «¡Esas cosas no importan al lector *en general*!»: un lector general a quien (hemos de suponer) tampoco le importaría la reproducción borrosa y torpe de un óleo o una pieza musical.

Se afirma, también, que es inútil, que es, incluso, una especie de *fetichismo,* el recoger las breves notas, postales, etc., donde Lorca (o cualquier escritor cuyas cartas llegan a editarse) hable de tal o cual asunto intrascendente y hasta trivial («¡Sólo a un *lorquista* podría interesar eso!»). Y, sin embargo, ¡cuántas veces esas notas efímeras ayudan a fechar otras cartas, y hasta comedias y poemas, más importantes!

Con esto pasamos al otro aspecto de este libro, su aspecto biográfico y cronológico. Por primera vez, se ordenan las cartas según la fecha en que se escribieron (hasta ahora han sido agrupadas según su destinatario). Aquí estamos en un terreno resbaladizo, pues de las 277 cartas que hoy publicamos, en sólo *tres* escribió García Lorca la fecha completa, y las «cronologías» publicadas a que acudimos se basan, en gran medida, en las *cartas mismas.* Las cartas constituyen el medio más directo de conocer el trabajo creador de Lorca de día en día y de año en año. En ellas se registraron, para siempre, proyectos editoriales como *Sur y gallo,* títulos de poemas y dramas desconocidos, poemas acabados o en vías de creación, fragmentos de teatro, etc. Hasta ahora los críticos han recogido estos datos con cierta falta de recelo. El que Lorca cite un poema en una carta de fecha comprobada parecía fechar al poema también con seguridad. Pero... ¿si el poema no estaba unido por el editor a la carta correcta? Yo, por lo menos, había intentado aceptar el «hecho» de que Lorca escribiera la «Gacela del amor imprevisto» en 1927, año de la carta a la que parecía estar unido. Por un error editorial parecido, había conocido a un Lorca creador, en la primavera de 1927, de «cosas muy distintas y, creo, de inspiración directa», cosas que, en realidad, no llegaría a crear hasta finales del año siguiente. En una vida artística tan corta y tan inquieta como fue la de Lorca, un año puede marcar toda una etapa creativa. Por estar mal fechadas las cartas a Manuel de Falla, se pensaba que Lorca había trabajado en *La comedianta* durante más de cuatro años: en realidad, la primera mención de dicha obra es de 1923, no de 1922, y seguimos sin saber si la carta en que se menciona por última vez es, en realidad, del año 1926, como pretenden sus editores previos. ¿Para qué seguir? Baste este intento de *sembrar dudas*.

Quedan por hacer ciertas advertencias sobre nuestro procedimiento en esta edición. Será obvio que pretendo ofrecer textos fieles, no textos «críticos». Corrijo obvias faltas de ortografía por parte de Lorca, e introduzco entre corchetes algunas de las preposiciones, artículos y partículas gramaticales que él se olvidó de poner. Se ha modernizado la ortografía de ciertas palabras; por ejemplo, *obscuro*. La puntuación de las cartas puede considerarse mía, no la de Federico.

En cambio, aparte de poner acentos y corregir ortografía, no he retocado los poemas que cita Lorca en sus cartas. Pensando, esta vez, en el especialista en vez de en el lector desinteresado, he respetado, en dichos poemas, tanto la puntuación —a veces imposible— de Federico como su uso peculiar de mayúsculas y de guiones para separar una estrofa de otra.

Es cierto que cualquier persona culta puede puntuar de modo más *normal* y más *correcto* que Lorca, pero muchas veces su puntuación parece ser intencionada e incluso deliberada, respondiendo a una manera particular de oír el poema. Toda persona culta sabe, además, que los títulos de comedias y de libros suelen citarse en cursiva y los de poemas entre comillas, y, sin embargo, tampoco he querido corregir el modo en que Lorca cita los títulos de sus propias obras.

En cuanto a las indicaciones de las fechas, las que están precedidas por una *M* provienen del matasellos. En general, al no saber la fecha exacta, he preferido encabezar la carta con una fecha aproximada, dejando las precisiones para las notas. En algunos casos, cuando no he podido adivinar las razones por las cuales los editores previos han fechado una carta en cierto año, dejo la fecha en blanco. Sirvan estos blancos de estímulo a futuros estudiosos de la obra.

Intento, en las notas, dar razón de *todas* las fechas que no provienen del matasellos.

Cuando cito un libro o artículo de forma abreviada en las notas, doy la referencia completa en la sección sobre «Procedencia de las cartas», (p. 189). Las siglas *O.C.* remiten al lector a la 21.ª edición de las *Obras completas* (Madrid: Aguilar, 1980).

Se sabe mucho más de la vida y de la obra de García Lorca ahora que cuando se publicaron los tres epistolarios anteriormente nombrados, y, aunque contiene datos «nuevos», es fácil imaginar que este libro también tendrá que revisarse con cierta frecuencia. Fue concebida como una edición *abierta,* y estaré muy agradecido a quien me ayude a rectificar errores, introducir nuevas cartas y suplir las faltas de información que menciono en las notas. De momento, doy las gracias a quienes ayudaron en la realización de este libro: muy especialmente a Mario Hernández, excelente amigo, por sus consejos y por prestarme continuamente libros y fotocopias; y también a Manuel Fernández Montesinos, Isabel García Lorca, María Estrella Iglesias, Tica Montesinos, Antonio Gallego Morell, Antonina Rodrigo, Ana María Dalí, José Francisco Aranda, María C. Quintero y Jorge Guillén.

CHRISTOPHER MAURER

Department of Romance Languages
University of Pennsylvania
Philadelphia, Pa. 19184

A María del Reposo Urquía

Apreciable y lejana amiga: Quizá extrañará usted que le escriba así tan de pronto, pero como nunca su menudita y simpática figura se fue de mi imaginación, creo siempre que hablo con usted. Es la quizá correspondencia ideal, la de las almas. ¡Ah! no se ría, no se ría, Reposo... Me atrevo a escribirle (y digo me atrevo porque en España estas cosas son atrevimiento) para pedirle un favor. Yo estoy editando un libro. ¿Me aceptáis que os dedique un capítulo? Contestadme pues... Creo que tendré la honra de recibir su respuesta, no espero otra cosa de una mujer como usted tan amante de Chopin y tan buena intérprete de sus obras. Hay veces, amiguita Reposo, que sentimos el ansia de escribir a un alma oculta en las lejanías y que ese alma escuche nuestro llama-

15

miento de amistad. En la época actual nosotros, los románticos, tenemos que hundirnos en las sombras de una sociedad que sólo existe en nosotros mismos. Usted es una, quizá, romántica como yo, que sueña, sueña en algo muy espiritual que no puede encontrar. ¡Sí, sí! No se ría. Aunque provoque risa en usted (cosa que no creo), es así aunque no lo quiera. Siempre tenemos una amargura que no logramos arrancarnos. Perdone si le molesto..., yo soy demasiado apasionado... No quiero molestarla más. ¿Acepta usted? Yo lo hago con todo mi corazón. Fue usted una de esas mujeres que pasan por el camino de nuestra vida dejando una estela de tranquilidad, de simpatía, de quietud espiritual. Algo así como el perfume de una flor escondida en las lejanías... Qué mal escribo, ¿verdad? Perdón. Contésteme en seguida si no tiene inconveniente. Le agradeceré infinitamente.

Cuente siempre con su amigo

Federico García Lorca

(Recuerdos a Paquita)

A Adriano del Valle (1)

[mayo de 1918] *

Adriano del Valle y Rossi. Sierpes, 36. Sevilla

Hoy. Mayo en el tiempo y Octubre sobre mi cabeza.

PAZ

Amigo: Mucho me agradó recibir su carta y puede V. asegurar que ha sido un rato de gran satisfacción espiritual. Yo no me presento a su vista nada más que como un compañero (un compañero lleno de tristeza) que ha leído algunas de sus preciosas poesías. Soy un pobre muchacho apasionado y silencioso que, casi casi como el maravilloso Verlaine, tiene dentro una azucena imposible de regar y presento a los ojos bobos de los que me miran una rosa muy encarnada con el matiz sexual de peonía abrileña, que no es la verdad de mi corazón. Aparezco ante las personas (esas cosas que se llaman gentes que dice [palabra ilegible]) como un oriental borracho de luna llena y yo me siento un Gerineldo chopinesco en una época odiosa y despreciable de Kaiseres y de La Ciervas (¡que se mueran!). Mi tipo y mis versos dan la impresión de algo muy formidablemente pasional... y, sin embargo, en lo más hondo de mi alma hay un deseo enorme de ser muy niño, muy pobre, muy escondido. Veo delante de mí muchos problemas, muchos ojos que me aprisionarán, muchas inquietudes en la batalla del cerebro y corazón, y toda mi floración sentimental quiere entrar en un rubio jardín y hago esfuerzos porque me gusten las muñecas de cartón y los trasticos de la niñez, y a veces me tiro de espaldas al suelo a jugar a comadricas con mi hermana la pequeñuela (es mi encanto)..., pero el fantasma que vive en nosotros y que nos odia me empuja por el sendero. Hay que andar porque tenemos que ser viejos y morirnos, pero yo no quiero hacerle caso... y, sin embargo, cada día que pasa tengo una duda y una tristeza más. ¡Tristeza del enigma de mí mismo! Hay en nosotros, amigo Adriano, un deseo de querer no sufrir y de bondad innata, pero la fuerza exterior de la tentación y la abrumadora tragedia de la fisiología se encargan de destruir. Yo creo que todo lo que nos rodea está lleno de almas que pasaron, que son las que provocan nuestros dolores y que son las que nos entran en el reino donde vive esa virgen blanca y azul que se llama Melancolía..., o sea, el reino de la poesía (no concibo más poesía que la lírica). En él entré hace ya mucho tiempo... tenía diez años y me enamoré... después me sumergí del todo al profesar la religión única de la Música y vestirme con los mantos de pasión que Ella presta a los que la aman. Después entré en el reino de la Poesía, y acabé de ungirme de amor hacia todas las cosas. Soy un muchacho bueno, en suma, que a todo el mundo abre su corazón... Desde luego soy gran admirador de Francia y odio con toda el alma al militarismo, pero no siento más que un deseo inmenso de Humanidad. ¿A qué luchar con la carne mientras esté en pie el pavoroso problema del espíritu? Amo a Venus con locura, pero amo mucho más la pregunta ¿Corazón?..., y, sobre todo, ando conmigo mismo, como el raro y verdadero Peer Gynt con el fundidor...; mi yo quiero que sea.

En cuanto [a] las cosas que hago, únicamente le diré que trabajo muchísimo; escribo muchos versos y hago mucha música. Tengo tres libros escritos (dos de ellos de poesías) y espero trabajar más. De música, me dedico ahora a recopilar la espléndida polifonía interior de la música popular granadina.

En cuanto a mi primer libro, le doy a V. las gracias por su elogio. Le digo que para escribir de él no tiene que decirme nada, porque una vez el libro en la calle, ya no es mío, es de todos... En mi libro (que es muy malo) solo hay una gran emoción que siempre mana de mi tristeza y el dolor que siento ante la naturaleza... No sé si adivinará V. cómo soy yo de sincero, de apasionado y de humilde corazón. Me basta saber que es su espíritu el de un poeta. Y si esta escasa luz de mi alma que pongo en esta carta no la supiera V. ver o se riera, sólo me quedaría la amargura íntima de haberle enseñado algo de mi relicario interior a un alma que cerró sus ojos y sonrió escéptica. Desde luego descarto esto. Yo soy un gran romántico, y este es mi mayor orgullo. En un siglo de zepelines y de muertes estúpidas, yo sollozo ante mi piano soñando en la bruma haendeliana y hago versos muy míos cantando lo mismo a Cristo que a Budha, que a Mahoma y que a Pan. Por lira tengo un piano y, en vez de tinta, sudor de anhelo, polen amarillo de mi azucena interior y mi gran amor. Hay que matar a los «pollos bien» y hay a [sic] anular las risas a los que aman a la Harmonía. Tenemos que amar a la luna sobre el lago de nuestra alma y hacer nuestras meditaciones religiosas sobre el abismo magnífico de los crepúsculos abiertos..., porque el color es la música de los ojos... Ahora dejo la pluma para montarme en la piadosa barca del Sueño. Ya sabe V. cómo soy en algo de mi vida.

Si me quiere contestar, su casa es Acera del Casino..., por más que ya lo sabe mi tío. Déle V. mis abrazos. Es muy bueno y muy cariñoso..., pero no me conoce a fondo. He sido siempre un [sic] para él un muchacho que ha habla[do] poco, ha sonreído y nada más. Perdóneme esta letra tan infame que tengo. He sido muy sincero con su alma... Lea V. esta carta triste, medítela, y después estoy seguro que dirá «...pero ¡pobre muchacho!, ¡tan joven!...; al fin, poeta». Ahí va toda mi mano izquierda, que es la mano del corazón.

Federico

Un favor... No cante V. nunca la «Canción del soldado» (esa obra de barbero musical), aunque lo fusilen; de otra manera no puede ser amigo mío.

* Acepto la fecha sugerida por Neurather. Lo más probable es que las palabras «a mi primer libro» designen a *Impresiones y paisajes,* publicado antes del 19 de abril (M. Laffranque, «Bases cronológicas para el estudio de F. G. L.» en Ildefonso-M. Gil, *F. G. L.* [Madrid: Taurus, 1973], p. 416) y no a *Libro de canciones,* como piensa Marrast. La frase «Hoy. Mayo en el tiempo y Octubre sobre mi cabeza» parece recordar la última

frase de una carta inédita de Adriano del Valle (archivo de la familia G. L.): «Sevilla; en la Primavera de la sangre del año 1918.» En dicha carta, A. del V. alaba *Impresiones y paisajes.* Es la primera que dirige a Federico.

A Angel Barrios (1)

[Membrete tachado:] Centro Artístico

Graná [mediados de noviembre 1919]

Queridísimo amigo Angel: No te he contestado antes porque he estado preparando mi viaje a Madrid y darte una sorpresa, pero ya parece definitivo que el domingo o el lunes próximo me presente ante tu vista. *Graná* está maravillosa, toda llena de oro otoñal. Me he acordado mucho de ti en los paseos que he dado a través de la vega, porque todos los sitios están indescriptibles de color [¿dolor?] y de tristeza. Manuel Ortiz se casa el miércoles, y ese mismo día parte para Madrid con su esposa *. Ya te imaginarás cómo estará, sabiendo lo perdidamente enamorado que se casa. Te quisiera decir muchas cosas, pero ya te las diré muy pronto y de palabra. Angel, ¿nos vamos por fin a convertir al mahometismo? Puedes ir preparando las túnicas y los turbantes.

Ahora mismo empieza a llover. Miro por el balcón y veo los cipreses de los Escolapios al pie de la Sierra llena de nubes. Yo estoy algo triste. El salón del Centro está lleno de sastres, de carpinteros y de horteras.

Adiós, Angel. Te abraza

FEDERICO

* Gallego Morell apunta que «El pintor Manuel Angeles Ortiz contrajo matrimonio en Granada el 19 de noviembre de 1919» (*op. cit.,* p. 141).

20

A Antonio Gallego Burín (1)

Asquerosa, 27 [¿agosto, 1920?] *

Queridísimo Antoñito:

Poco a poco el topo doméstico del amor familiar ha ido minando mi corazón en mantillas convenciéndome de que debo por deber y por educación terminar mi naufragada carrera de Letras... ¿Qué te parece? Ya había pensado mi madre en que me tenía que marchar a Madrid en octubre y toda la familia estaba conforme, pero con una conformidad resignada, no alegre como yo deseo, a causa de estar mi padre dolorido al verme sin más carrera que mi *emoción ante las cosas*. Ayer me dijo: «Mira Federico, tú eres libre, vete donde quieras, porque yo estoy convencido de tu extraordinaria vocación por el arte, pero, ¿por qué no me das gusto y vas haciendo como quieras tu carrera?, ¿te cuesta algún trabajo? Si en este septiembre hicieras alguna asignatura, yo te dejaría marchar a Madrid con más alegría que si me hubieses hecho emperador».

Ya ves, queridísimo, como mi padre tiene razón y como ya está viejo y es gusto suyo el que me *adorne* con una carrera ya mi decisión es irrevocable. ¡Voy a terminar! Como ya murió el pobre [Domínguez] Berrueta (que era molesto examinarme con él) entraré otra vez aunque con carácter libre en el *alma mater*.

Y ahora viene la consulta: ¿Qué debo hacer? Yo trabajo en estos momentos en dos cosas de teatro, un poema «Los chopos niños» y mis poesías líricas de siempre. ¿Tendré, Antonio de mi alma, que abandonar mis hijos sin criar, lo que es lágrimas de mi espíritu y carne de mi corazón por acariciar el frío volumen de historias muertas y conceptos moribundos?, ¿o podré sobrellevar

21

sin peso las dos cargas? Me faltan desde la Historia Universal en adelante. ¿Qué asignaturas podré aprobar? ¿Te parece bien que haga la Historia, la Paleografía (que debe ser facilísima) y la Numismática? ¿Dónde podré aprobar y con quién? No es que yo no quiera trabajar (puesto que trabajo de sufrimiento), pero es molestísimo, molestísimo, y a ti, ¡oh salvador mío!, acudo.

Yo lo que quiero es presentarle a mi padre en septiembre unas cuantas papeletas para darle un alegrón y marcharme tranquilo a publicar mis libros y a estudiar con un poco [de] detenimiento principios de filosofía con el *Pege Ortega,* que me lo tiene prometido.

Contéstame a vuelta de correo con las instrucciones necesarias y la verdad de lo que pase. ¿Y el hebreo y el árabe son fáciles de camelo con Navarro? (¿Cuándo sabré hebreo ni árabe? ¡Me deben aprobar inmediatamente!) Como tú eres auxiliar de la Facultad estarás bien enterado de asignaturas, catedráticos y [*tachado*] e (¡oh gramática!) incompatibilidades.

Seriamente te lo agradeceré en el alma y espero que te portarás conmigo como yo deseo y espero, así es que ten la bondad de contestarme en seguida.

El campo está magnífico, ¿por qué no vienes un día?, y yo con todo el campo demasiado dentro del alma. ¡Si vieras qué puestas de sol tan llenas de rocío espectral... ese rocío de las tardes que parece que desciende para los muertos y para los amantes descarriados que viene a ser lo mismo! ¡Si vieras qué melancolía de acequias pensativas y qué rodar rosarios de novias! Yo espero que el campo pula mis ramas líricas este año bendito con las rojas cuchillas de las tardes.

Hasta tu próxima te abraza estrechamente tu amigo estudiante-poeta y pianista-gitano.

FEDERICO

¡Que me contestes en seguida!

Tu casa:

Asquerosa

(Por Pinos Puente)

Granada

¡Abrazos de mi hermano!

* G. M. fecha esta carta el 27 de agosto de 1920 (*Cartas, postales...*, p. 121), no sé por qué razón. Su padre fue nombrado profesor auxiliar temporal de la Facultad de Filosofía y Letras de la Universidad de Granada el día 20 de enero de 1920 (Antonio Gallego Morell, *Antonio Gallego Burín*, edición cit., p. 33).

A Adriano del Valle (2)

Hoy 19 [¿de septiembre?, 1920?] *

Querido amigo Adriano:

Desde luego que habré adquirido una fama pésima de mal amigo y de indolente ante vuestra consideración..., pero ¡perdonad!, he atravesado una crisis de lejanías y de tristezas que ni yo mismo me he dado cuenta. Podría decirse que yo era una sombra borracha de verano y de pasión imposible... Tenía dentro del alma, en ese pozo insondable del que Santa Teresa hizo su castillo interior, un sedimento de espigas sonoras y de nubes blancas. He contemplado demasiado el cielo azul y he sentido verda[de]ras heridas de luz... Por los caminos de la vega no me he acordado de nadie, ni de mí mismo. En mis meditaciones con los chopos y las aguas, he llegado a la franciscana posición de Francis Jammes...

23

Comprendo que todo esto es muy lírico, demasiado lírico, pero el lirismo es lo que me salvará ante la eternidad. Además, estamos en el lago abrumador de la ramplonería y yo sobre él quiero que mi carabela fantástica vaya hacia el templo de lo Exquisito con las velas infladas de nieve y de sol. Yo soy como una ilusión antigua hecha carne, y aunque mi horizonte se pierda en crepúsculos formidables de apasionamientos, tengo una cadena como Prometeo que me cuesta trabajo arrastrarla... ahora que yo no estoy preso en las rocas...; pero, en vez de águila, un búho me roe el corazón. Todo esto es sinceridad. ¡Plena sinceridad! Decir otra cosa fuera ridículo y grotesco. Me siento lleno de poesía, poesía fuerte, llana, fantástica, religiosa, mala, honda, canalla, mística. ¡Todo, todo. Quiero ser todas las cosas! Bien sé que la aurora tiene llave escondida en bosques raros, pero yo la sabré encontrar... ¿Ha leído V. los últimos ensayos de Unamuno? Léalos; gozará extraordinariamente...

He trabajado muchísimo este verano.

He hecho un poema en verso sobre la Vega de Granada, que probablemente saldrá a luz el verano que viene, pues antes tengo que publicar dos libros de poesías titulados «Elegías verdaderas» y «Poema del otoño infantil». No sé si luego cambiaré los títulos; en esto soy extrañísimo, pero así lo pienso ahora.

Este noviembre saldrá el primero. Ahora trabajo en mi obra «San Francisco de Asís», que es una cosa completamente nueva y rara. Le mandaré original de mis versos y mis prosas para que publique. Un ruego. Poca colaboración y selecta. No publique cosas por compromiso. La literatura es la literatura, y el que se empeña por tripas en ser literato demuestra ser tonto de capirote. La vida está llena de caminos y en todos hay cosas amargas y dulces que encontrar.

Le remitiré una de las últimas cosas que he hecho, «La elegía de los sapos» **.

Como siempre de amigos, suscríbame a la revista... Le contaría muchas cosas, pero me siento con pocos alientos para hablar y tengo sobre mi alma un bosque lleno de nidos que se despiertan con el aire de mi gran pasión.

Perdonadme, Adriano. Apolo el divino os salve.

FEDERICO

Os mandaré mi libro. Contestadme.

* La fecha dada por Marrast (julio de 1926) es totalmente inverosímil. En esta carta, Lorca anuncia un libro de *Elegías verdaderas*. Había titulado «elegía» a muchos poemas escritos, probablemente, antes de septiembre de 1920, e.g. «Elegía a doña Juana la Loca», «Elegía (Diciembre de 1918. Granada)», «Elegía del silencio (julio de 1920)», etc. Todo el *Libro de poemas* es decididamente elegíaco. Además, concuerdan con el segundo párrafo de la carta estos versos de «Ritmo de Otoño, 1920»:

> *Llevo las carabelas de los sueños*
> *a lo desconocido.*
> *Y tengo la amargura solitaria*
> *de no saber mi fin ni mi destino.*

En el mismo poema nombra a Francisco de Asís («el hermano Francisco»).

La carta es de finales del verano («He trabajado muchísimo este verano»), y, por tanto, es más probable que sea del 19 de septiembre, que no del 10 de agosto o de octubre.

** Cf. la nota a la carta 3 a A. del V.

A Emilia Llanos Medina (1)

[M: Madrid, 25 noviembre 1920] *

Amiga Emilia:

Yo le pido perdón por lo mal que me he portado con usted, tan encantadora y tan exquisita... Pero ya sé que Emilia perdona siempre, porque es buena amiga mía, ¿verdad? Yo trabajo mucho y vivo demasiado poco para lo que podría; pero la luna es bella y hay estrellas azules... Yo vivo la casta canción de mi corazón.

Ya le escribiré más despacio y largo. Usted contésteme, por Dios, se lo pido de rodillas, a la Residencia de Estudiantes, Pinar, 15, que son mis señas.

Adiós, encantadora Emilia. No os olvida vuestro leal

FEDERICO

* Esta carta está «escrita a lápiz al final de otra del pintor Ismael González de la Serna a Emilia Llanos... Sobre escrito con letra de Ismael González de la Serna, dirigido a 'Granada, Plaza Nueva, 1. Srta. Emilia Llanos'» (Gallego Morell, *op. cit.*, p. 133).

A Emilia Llanos Medina (2)

[M: Madrid, 28 noviembre 1920]

Srta. doña Emilia Llanos. Plaza Nueva. Granada

Querida Emilia:

Hace mucho tiempo que no sabía nada de usted y ayer la recordé tan cariñosamente como yo sé hacerlo cuando se trata de personas tan exquisitas y tan espirituales como usted lo es.

Yo la veo en medio de ese maravilloso paisaje granadino como la única mujer granadina capaz de sentirlo, y me alegro extraordinariamente de tener una amiga que mire los chopos encendidos y las lejanías desmayadas como si yo las mirase.

¡Qué hermosa y qué triste estará la carrera del Darro y qué nubes habrá por Valparaíso!, ¿verdad? Yo recuerdo a Granada como se deben recordar a las novias muertas y como se recuerda un día de sol cuando niño. ¿Se han caído del todo los hojas?... Aquí, en Madrid, ya están los árboles esqueléticos y fríos; sólo en algunos queda una hojilla, que se mueve con el triste viento como una mariposa de oro.

Ahora empieza a llover y todo está cubierto de una niebla maravillosa.

Yo..., siéndole franco, estoy un poco triste, un poco melancólico; siento en el alma la amargura de estar solo de amor. Sé que estas melancolías pasarán..., pero el rastro ¡queda siempre!

Ayer iba por la Carrera de San Jerónimo y vi una mujer que me pareció usted: lo mismo de alta, lo mismo de elegante. Y lo más gracioso fue que se paró en una tienda de antigüedades... ¡Y qué antigüedades!... Jarrones de China, talaveras viejos, vasos japoneses, collares indios... Usted hubiera dado gritos y la Genoveva de la tienda hubiera salido asustada.

¿Será usted tan cariñosa conmigo que me mande un retrato firmado para verla a menudo? ¿Lo hará?... Yo se lo pagaré en una poesía... ¿Trato hecho?

Por hoy no la digo más. Soy correcto y espero su contestación para escribirla más largamente.

Adiós, Emilia. No os olvida vuestro amigo

FEDERICO

Recuerdos a Federiquito [Tegeiro Llanos] *.

* G. M. (*op. cit.*, p. 134) identifica a «la Genoveva» con «Genoveva Rodríguez de Arrufat, propietaria de un establecimiento de antigüedades en la Plaza Nueva de Granada», y a Federiquito con «Federico Tegeiro Llanos, sobrino de Emilia Llanos».

A Antonio Gallego Burín (2)

[Telegrama]

[Granada, principios de 1921]

LUCHA REÑIDISIMA HAS TRIUNFADO POR DOS VOTOS *.

* Se trata de la vicepresidencia del Centro Artístico de Granada (véase Antonio Gallego Morell, *Antonio Gallego Burín,* ed. cit., p. 35).

A Antonio Gallego Burín (3)

[Membrete:] Ateneo Científico, Literario y Artístico, Madrid

[¿primavera de 1921?] *

Queridísimo amigo Antoñito: Ya sabes que yo siempre te quise muy bien y ahora te felicito entusiasmado porque según me dice Pepito te has escapado de las *garras* de la muerte. Aprovecha la ocasión y burlándote de la *Parca ¡cásate!* Ahora publico mi libro y preparo muchas cosas más. Te recomiendo el *asunto* de Mora con todo empeño pues se trata de algo muy interesante para la *cultura* de Granada.

Ya tengo ganas de darte un abrazo y de charlar un rato contigo en esa *ciudad de los cármenes.*

¡Qué lástima de Graná!

¡Muera el Ayuntamiento!

Adiós, Antoñito, sabes te quiere

FEDERICO

* Según Gallego Morell, es de mayo de 1921. «A continuación del texto de Lorca figura una carta de José Mora Guarnido a A. G. B. y otra breve de Miguel Pizarro al mismo» (*Cartas, postales...,* p. 123).

A Regino Sainz de la Maza (1)

[Membrete:] Centro Artístico

[Granada] *

Por pereza y nada más que por pereza no he contestado a tu carta; soy, pues, un sinvergüenza y un mal amigo. Yo me levantaba todas las mañanas muy triste y me iba a dar un paseo por esta maravillosa Granada, volvía a comer, me ponía a estudiar y así me sorprendía la tarde. ¿Quién escribe a los amigos por la tarde...? Yo creo que esta disculpa es suficiente para un artista como tú, pero ten la completa seguridad que te recuerdo con mucha alegría y tu fantasma va ligado a tres cosas absurdas, pero que yo me explico subconscientemente: una minúscula, unos tufos débiles, y unos bacilos de Koch en caricatura. Otro día te explicaré esto. Ahora he descubierto una cosa terrible (no se lo digas a nadie). *Yo no he nacido todavía.* El otro día observaba atentamente mi pasado (estaba sentado en la poltrona de mi abuelo) y ninguna de las horas muertas me pertenecía porque no era Yo el que las había vivido, ni las horas de amor, ni las horas de odio, ni las horas de inspiración. Había mil Federicos Garcías Lorcas, tendidos para siempre en el desván del tiempo; y en el almacén del porvenir, contemplé otros mil Federicos Garcías Lorcas muy planchaditos, unos sobre otros, esperando que los llenasen de gas para volar sin dirección. Fue este momento un momento terrible de miedo, mi mamá Doña Muerte me había dado la llave del tiempo, y por un instante lo comprendí todo. Yo vivo de prestado, lo que tengo dentro no es mío, veremos a ver si nazco. Mi alma está absolutamente sin abrir. ¡Con razón creo algunas veces que tengo el corazón de lata! En resumen, querido Regino, ahora estoy triste y aburrido de mi interior

29

postizo. Yo espero carta tuya en seguida y sin retintines, no te creo vengativo.

Un abrazo efusivo y enorme.

FEDERICO

Alcalde me dice ahora mismo que recibió carta tuya despidiéndote de los amigos; a mí me da mucha tristeza el ver que no me nombras. Perdóname que no te haya escrito, pero te aseguro que te llevo tendido dentro de mi corazón. Contéstame, pues. No seas vengativo, te vuelvo a repetir. ¡Si vieras cómo está la sierra! Toda roja, y la vega que se divisa desde estos balcones toda en sombra. Que estudies mucho y que no te estés donde la piltra.

Granada, 16.

Mi hermano te da sus cinco dedos de hombre fuerte desde aquí. Adiós, guitarrista. Acuérdate de mí.

* De fecha incierta.

A Melchor Fernández Almagro (1)

[Membrete:] Centro Artístico

[¿primavera 1921?] *

Queridísimo Melchorito:

Me voy al campo. Quisiera que este verano nos escribiéramos y me tuvieras *al cabo de la calle* de todo lo que pasa por ahí. Yo estoy muy contento, pero emocionadísimo, no sé por qué causa... Todas las mañanas tengo un deseo irresistible de llorar a solas con un llanto dulce y alegre; ¡eso sí, alegre! Cualquier cosa me emociona (emoción de aurora)... Me parece que estoy convaleciente de alguna enfermedad y tengo cansancio como

30

si hubiese atravesado los desiertos turbios de la fiebre. Ahora pienso trabajar mucho bajo mis eternos chopos y «bajo el pianísimo del oro». Quiero hacer este verano una obra serena y quieta; pienso construir varios romances con lagunas, romances con montañas, romances con estrellas; una obra misteriosa y clara, que sea como una flor (arbitraria y perfecta como una flor): ¡toda perfume! Quiero sacar de la sombra a algunas niñas árabes que jugarían por estos pueblos y perder en mis bosquecillos líricos a las figuras ideales de los romancillos anónimos. Figúrate un romance que en vez de lagunas tenga *cielos*. ¡Hay nada más emocionante! Este verano, si Dios me ayuda con sus palomitas, haré una obra popular y andalucísima. Voy a viajar un poco por estos pueblos maravillosos, cuyos castillos, cuyas personas parece que nunca han existido para los poetas y... ¡¡Basta ya de Castilla!!

Esta noche nos reunimos a comer en el *último* todos los del Rinconcillo, y habrá noticias sensacionales, que ya te comunicaremos, pues pensamos que tú ayudes mucho. Desde luego, te pensamos nombrar cónsul general del Rinconcillo en Madrid. La idea que esta noche se expondrá a la consideración de todos en el banquete (yo no me puedo resistir) es la siguiente... Pero no hables a nadie de ella hasta que esté afianzada, pues la pueden coger, y esto no estaría bien. Se trata, queridísimo Melchor, de hacer en terrenos que ofrece Soriano en su finca de la Zubia un morabito en honor de Abentofail y dos o tres más genios de la cultura arábiga granadina. Dentro se pondría una biblioteca de cosas árabes granadinas, y fuera se plantarían, alrededor del monumento, sauces, palmeras y cipreses. ¡Qué alegría, Melchorcito, ver desde Puerta Real la blanca cúpula del morabito y la torrecilla acopañándola! Además sería el primer recuerdo que se tuviera en España para estos sublimes hombres, granadinos de pura cepa, que hoy llenan el mundo del Islam. Navarro casi lloraba anoche de alegría, y Cienfuegos, Campos y todos estamos locos con la idea. Sería una cosa íntima *hecha por la tertulia del Rinconcillo,* que de este modo adquiriría una gran fama, ¿verdad? Esperamos que los amigos de Madrid ayudarán con entusiasmo. Pensamos además invitar a sabios moros de todo el Oriente, que vendrían a Granada, y hacer una antología de Abentofail dirigida por Navarro, con cosas mías que yo haré para entonces. Soriano encabeza la suscripción con mil pesetas. Pensamos que la cúpula del morabito sea estrellada, como la de los baños, y Manolo Ortiz decorará el interior con temas hieráticos y sugestivos orientales. ¿Qué te parece? Esta noche es una gran noche para todos nosotros. Brindaremos por ti y por Juan Cristóbal, que parece que no nos quiere, aunque nosotros mucho a él lo queremos, y diremos un viva al Rinconcillo. No digas nada a nadie hasta que no se te comunique *oficialmente* la noticia.

Adiós. Un abracísimo de

FEDERICO (el pérfido)

(Dale recuerdos y un besito en cada mejilla al apolíneo Pepito Ciria de Escalante, sinvergüenza con los amigos y tunante.)

---

* Gallego Morell (p. 49) fecha esta carta en la primavera de 1923; Mario Hernández (*Romancero gitano* [Madrid: Alianza, 1981], p. 159) en mayo o junio de 1921. Escribe Hernández: «Esta carta es, con toda probabilidad, de la primavera de 1921... F. G. L. alude en el fragmento citado [«bajo el pianísimo de oro»] al poema «Canción» (O. C. I, p. 745), perteneciente en su origen al conjunto «Seis canciones de anochecer», cuyo manuscrito fue fechado a su término el 14 de agosto de 1921. «Canción» —con el título de «Solitario» en su redacción primera— es el tercer poema de la serie, y debía haber sido leído recientemente a Almagro, lo que justificaría la mención de dos de sus versos... Por otro lado, es frecuente que el poeta describa un proyecto antes de su ejecución. Si no parte del

32

Romancero gitano, en la carta queda claramente aludido el
«'Romance con lagunas' [cuya primera redacción data del 28 de
diciembre de 1921]».

La carta está escrita, evidentemente, a principios de un veraneo. («Quiero hacer este verano...»). De ser de 1921, corres-
pondería a la llegada de García Lorca a Granada, procedente
de Madrid, antes de marcharse a Asquerosa.

No he podido descubrir la fecha del proyecto del morabito.

A Melchor Fernández Almagro (2)

[Membrete:] Residencia de Estudiantes. Pinar, 15, Madrid

[Asquerosa, verano 1921] *

Queridísimo Melchorito:

Desde este retiro en medio de la vega me acuerdo de
ti con un afecto profundo del que no debes dudar.

Cuando llegué no puedes figurarte la alegría tan grande que me causó ver la vega temblorosa bajo un delirio
de neblina azul... y sentía (puedes creerlo) verdadero
horror al acordarme de cosas tan terribles como *Calle
Arenal, Pardiñas.*

Creo que mi sitio está entre estos chopos musicales
y estos ríos líricos que son un remanso continuado, porque mi corazón descansa de una manera definitiva y me
burlo de mis pasiones que en la torre de la ciudad
me acosan como un rebaño de panteras.

Asquerosa es uno de los pueblos más lindos de la
vega por lo blanco y por la serenidad de sus habitantes.

Yo estoy muy contento rodeado de mi familia, que
tanto me quieren, y trabajo mucho y con provecho. ¡Me
van gustando mis poemas!

Aún no se ha dicho nada de mi libro, y creo que es
porque no los han terminado de mandar, pues ¡ayer!
llegaron a Granada los primeros. Me gustaría y te agra-
decería en el alma, que hicieses un artículo en Granada,

pues yo no se lo pienso dar a nadie, y nadie excepto tú puede hablar de mis versos con un sentimiento hondo. Esto espero que lo harás.

Si ves a Mora le dices que estoy enamorado de Marichu Zamora y que guardo en mi pecho el jeroglífico inocente de sus risitas.

Espero que me escribirás en seguida, pues quiero *cartearme* contigo este verano para ir organizando la Revista, que tanta ilusión tengo puesta en ella.

En mi casa se acuerdan con muchísimo cariño de Mora; díselo y que en seguida que me conteste le escribiré.

No puedes figurarte cómo te quiere mi tío Enrique y la gana que tiene de verte. ¡Admiradores así hay pocos, Melchorcito!

Muchos recuerdos de mi padre y hermano y para ti un gran abrazo de este poeta que te quiere.

FEDERICO

Señas: Asquerosa (Pinos Puente).

Adiós y ¡viva el Alte!

Estoy empezando a parir «La muerte del Dauro».

* Debe ser, probablemente, anterior al mes (julio) que sugiere G. M. (*op. cit.*, p. 40), pues Federico habla como recién llegado de Madrid, y la frase «Quiero *cartearme* contigo este verano...» sugiere una fecha a principios de su veraneo.

A Melchor Fernández Almagro (3)

[Membrete:] Centro Artístico

[¿agosto de 1921?] *

Queridísimo Melchorito:

Quedé en escribirte y no lo he hecho (muy mal, ¿verdad?), pero esto no quiere decir que mi cariño sea me-

34

nor y que te haya olvidado. Todos saben lo mucho que te quiero y te admiro, y tú debes saberlo también.

Esta carta no tiene más objeto que decirte: ¿y la revista? Yo estoy entusiasmado con la idea, y por muchos jarros de agua fría que nos echen (que nos echarán), nosotros no cejaremos.

He hecho *sesenta* suscripciones entre las personas *finas* de Granada, teniendo cuidado de que sean gente joven; así es que casi todos los suscriptores pertenecen a la aristocracia de la Universidad. Podemos, pues, querido Melchorito, hacer una preciosa labor de *avance* entre esta juventud. Yo, como te digo, estoy loco de contento; espero que tú también lo estarás, y que no cejarás en tu propósito de hacer esta obra. Salazar está entusiasmado; también Roberto Gerhard, Manolo Ortiz y todos los que *hondamente* pensamos en una revista que nos haga vivir más intensamente, una revista que nos agrupe y que ataque gallardamente en esta triste época de gentes mediocres y *gurrinicas*.

Yo contribuyo con lo que sea; además, muchos, la mayoría de estos granadinos, los he comprometido a pagar una peseta y hasta dos pesetas por número en calidad de protectores, cosa que me parece bastante discreta.

Tú empieza a pensar en cosas interesantes y empieza a hacer suscripciones.

¿Título?… ¡Ya veremos!

Contéstame en seguida. Esta vez te pienso contestar, pues ya sabes lo interesado que estoy. No quisiera más que hablar de la Revista, *con letra mayúscula.*

Adiós, Melchor. Siempre te quiere y requiere

FEDERICO

Tu hermana, bien, ¿verdad?

---

* Es, quizás, de principios de agosto, no de primavera, como pretende G. M. (*op. cit.*, p. 39). En la primera frase Lorca

habla de no haber cumplido con su intención de escribir a M. F. A. (cf. carta 1). Al decir que «Salazar está entusiasmado» con la idea de la Revista, alude, quizás, a la carta que recibió del musicólogo el día 2 de agosto.

A Adolfo Salazar (1)

[Membrete:] Residencia de Estudiantes. Pinar, 15. Madrid

Martes, 2 [agosto 1921] *

Queridísimo Adolfo:

Ahora mismo recibo tu carta y en seguida te contesto, agradecido como puedes figurarte.

Tu artículo me parece el colmo del elogio y del buen gusto. ¡Muchas gracias, Adolfo! ¡Muchas gracias! No me merezco yo tanto, y por eso te lo agradezco doblemente. La única manera de pagarte es decirte que ya sabes tú que mi cariño es verdadero y que siempre te será fiel mi corazón. Estoy en absoluto conforme contigo en las cosas que *me echas en cara* de mi libro. ¡Hay muchas más!... pero eso lo vi yo antes... lo que es malo salta a la vista... pero, querido Adolfo, cuando las poesías estaban en la imprenta me parecían (y me parecen) todas lo mismo de malas. Manolo te puede decir los malos ratos que pasé... ¡pero no había más remedio! ¡Si tú supieras! En mi libro yo no me encuentro, estoy perdido por los campos terribles del ensayo, llevando mi corazón lleno de ternura y de sencillez por la vereda declamatoria, por la vereda humorística, por la *vereda indecisa,* hasta que al fin creo haber encontrado un caminito inefable lleno de margaritas y lagartijas multicol[or]es.

Ya ves cómo me pesarán esos versos terribles que me citas, que en mi casa ¡no hay un libro mío!... así es que estoy como si no lo hubiera publicado. Y si no fuera por mis padres (que dicen [que] soy un fracasado porque no hablan de mí), yo no te hubiera dicho que te enteraras de mis críticas, etc. etc.

Pero mi familia, que está disgustada conmigo porque no he aprobado las asignaturas, les gusta, claro está, que se hable del libro. Yo pienso escribirle a Peinado Chica, *mi administrador,* para que mande libros a los periódicos y terminemos ya de una vez, pues yo tengo toda mi ilusión en lo que hago ahora, que me parece lo mejor y más exquisito que he producido, para que en otoño vea la luz. Si tú ves a Canedo, se lo avisas, y si no quiere, pues que se vaya a la porra, que yo no pido sino una cosa corriente y justa. ¡Si vieras cómo me acuerdo de ti! Hay amistades que se escurren de las manos como el agua clara, otras son como una rosa que uno se prende despreocupadamente en el ojal, pero las verdaderas amistades son como los *chupapiedras* de los niños andaluces, son lapas que se plantan silenciosamente sobre el corazón.

Sobre todo cuando oigo cantar, te recuerdo en pleamar acelerador. Por todas partes cantan ¡y qué cantos! Cada día me convenzo más y más de lo maravilloso que es este país. Si estuvieras aquí conmigo estarías girando como una peonza para ver los cuatro puntos cardinales al mismo tiempo.

Días pasados salió una luna verdi-morada sobre la neblina azul de Sierra Nevada, y enfrente de mi puerta una mujer cantaba una «berceuse» que era como una serpentina de oro que enmarañaba todo el paisaje. Sobre todo en los anocheceres se vive en plena fantasía, en un sueño a medio borrar... hay veces en que todo se evapora y nos quedamos en un desierto de gris de perla, de rosa y de plata muerta. Yo no te puedo decir lo enorme que es esta vega y este pueblecito blanco entre las choperas oscuras.

Por las noches nos duele la carne de tanto lucero y nos emborrachamos de brisa y de agua. Dudo que en la India haya noches tan cargadas de olor y tan delirantes. Y como es natural, yo te recuerdo como recuerdo a todos *los míos,* y tengo la esperanza de que vendrás por aquí.

Además (¿no sabes?) estoy aprendiendo a tocar la guitarra; me parece que lo flamenco es una de las creaciones más gigantescas del pueblo español. Acompaño ya fandangos, peteneras y *er cante de los gitanos,* tarantas, bulerías y ramonas. Todas las tardes vienen a enseñarme *El Lombardo* (un gitano maravilloso) y Frasquito *er de la Fuente* (otro gitano espléndido). Ambos tocan y cantan de una manera genial, llegando hasta lo más hondo del sentimiento popular. Ya ves si estoy divertido.

Trabajo ahora mucho y creo que te gustará lo que hago, pues a mí me parece mejor que las *suites* que ya conoces. ¿Quieres que te envíe algo? Yo titulo estas cosas «canciones con reflejo», porque quiero tan sólo eso: dar la sublime sensación del reflejo con las palabras, quitando al temblor lo que tiene de *salomónico.* Hago también baladas amarillentas y un pequeñísimo devocionario en honor de nuestro padre inmortal Sirio... en suma, trabajo bastante.

Los Cristobital los estoy *machacando.* Pregunto a todo el mundo, y me están dando una serie de detalles encantadores. Ya han desaparecido de estos pueblos, pero las cosas que recuerdan los viejos son picarescas en extremo y para tumbarse de risa. Figúrate tú que en una de las escenas un zapatero que se llama *Currito er der Puerto* quiere tomarle medida de unas botinas a Doña Rosita y ella no quiere por miedo a Cristóbal, pero Currito es muy retrechero y la convence cantándole en el oído esta copla:

38

Rosita por verte
la punta del pie
Si yo te pillara
veríamos a ver

con una melodía de una chabacanería estupenda. Pero viene Cristóbal y lo mata de dos porrazos.

Siempre que este hércules celoso remata a sus víctimas dice, «Una, dos y tres, ¡al barranco con él!», y se oye un formidable golpe de tambor en el abismo del teatrito.

¡Verdad que es divertido! Dime lo que tú piensas hacer, que en seguida yo te daré una sorpresa.

En cuanto a tus *rabietas* las oigo con mucho gusto, porque en algunas cosas tienes mucha razón, pero en tu carta hay dos o tres cosas que no entiendo del todo y que quisiera me explicaras. Eso de *los dardos más agudos de algunos amigos tuyos*, ¡explícame!

Todo lo demás que me dices tienes razón, una amarga razón. Veo que la vida ya me va echando sus cadenas. La vida tiene razón, mucha razón, pero... ¡qué lástima de mis alas!, ¡qué lástima de mi niñez seca! Aquí en el pueblo estoy muy querido de todos los obreros, especialmente de los muchachos con quienes hablo y paseo y mucho.

Yo estaré en Granada cuando tú vuelvas y pasearemos por todas partes. En cuanto a Roberto [Gerhard] me alegraría que ahora viniese por aquí.

No he recibido *Indice*, y estoy tristísimo y angustiado con las cosas de Gabriel, a [quien] quiero como tú no puedes imaginarte, pues se lo merece él, que es tan bueno y tan apasionado.

No me he portado con él como debiera, pero te aseguro que no ha sido mía la culpa.

Que me escribas en seguida, pues ya sabes la alegría tan grande que me producen tus cartas, y sabes [que] te quiere de corazón

FEDERICO

¿Cómo está Juan José? Abrázalo de mi parte. Adiós.

* Como advierte ya M. Hernández (*Trece de Nieve,* núm. cit., p. 36), el artículo de Salazar, «Un poeta nuevo, Federico García Lorca», apareció en *El Sol* del 30 de julio de 1921. «Teniendo en cuenta que el propio Lorca ha fechado [su carta] en martes 2, hemos de suponer que es respuesta inmediata al envío del artículo por parte de Salazar, es decir, del 2 de agosto de 1921, cuando el poeta tenía sólo veintitrés años y acababa de publicar el *Libro de poemas,* objeto de esta nota crítica de Salazar.»

A Melchor Fernández Almagro (4)

[Asquerosa, agosto 1921] *

Querido Melchorito:

¡Ahora sí que te llamo pérfido! No me has contestado... ¿Es que estás malo?

No sabes lo que me gustaría que me escribieses largo y tendido hablándome de muchas cosas... ¿Por qué no de nuestra (¡*nuestra!*) revista? Yo me voy a Madrid el día 25 o 26 de septiembre y tenemos que formar un grupo de amigos buenos y decididos que, queriéndonos mucho (como pasa en el Rinconcillo), *hagamos algo serio.* Yo este año estoy inquietísimo; yo no puedo soportar ni un minuto más estar aquí y necesito volar, volar, muy lejos... y, sobre todo, *actuar* de una manera digna en ese cachupinesco y absurdo Madrid. La Revista (con letra mayúscula) hay que hacerla... Sacaremos dinero de donde podamos, pero ¡hay que hacerla! ¿Vamos a realizar aquello que pensábamos del *repique*? Y, sobre

todo, hay que dar unos cuantos *palitos a la Mariana.*
¡Ya sabes tú quién es la Mariana! Creo que *podemos
contar* (aparte del gobernador) con todos los *mejores* y
algunos *peores* que son bastante simpáticos.

Yo empiezo a trabajar y estoy haciendo unas prosas
mal escritas seguramente, pero llenas de esperanza. En
verso estoy escribiendo unas «historietas del viento»…
¡Ya veremos!… Pero ¡qué admirable y qué lleno de
perspectivas está el viento!

Ahí van dos regalitos (¡dos buñuelos de viento!):

ROSA

¡Rosa de los vientos!

(Metamorfosis
del punto negro)

¡Rosa de los vientos!

(Punto florecido
Punto abierto)

Y este otro:

ESCUELA

MAESTRO
¿Qué doncella se casa
con el viento?

NIÑO
La doncella de todos
los deseos.

MAESTRO

¿Qué le regala
el viento?

NIÑO

Remolinos de oro
y mapas superpuestos.

MAESTRO

¿Ella ofrece algo?

NIÑO

Su corazón abierto.

MAESTRO

Decid cómo se llama.

NIÑO

Su nombre es un secreto.

(La ventana
del colegio
tiene una cortina
de luceros.)

¿Qué te parece?... Pues hay muchas cosas más, y si tú no eres un pérfido y suave como la onda y me contestas a vuelta de correo, yo te enviaré muchísimos versos que tienen lo bonito de estar inéditos para todo el mundo menos para ti.

Estoy en el campo gozando de la Naturaleza y oyendo a los inmortales grillos afilar sus dos laminillas de oro.

Oye: ¿y Ciria el *apolíneo*? Dile, si está en Madrid, que me escriba.

A todos los amigos que te encuentres les saludas de mi parte si preguntan por mí.

Al gran Ramón [Gómez de la Serna], le das muchos recuerdos.

Para ti un abrazo de

FEDERICO

Estoy en Asquerosa (le hemos variado el nombre) por Pinos Puente.

* Puede ser de agosto, pues anuncia ya su intención de volverse a Madrid «el día 25 o 26 de septiembre». Las «prosas mal escritas» podrían ser las que menciona en la carta 5 («Las meditaciones y alegorías del agua»). No he podido aclarar el sentido de las palabras «¿Vamos a realizar aquello que pensábamos del *repique*? Y, sobre todo, hay que dar unos cuantos *palitos a la Mariana*».
Para la historia textual de «Rosa» y «Escuela», véase Miguel García-Posada (ed.) F. G. L., *Poesía, 1* (Madrid: Akal, 1980), p. 552.
Cf. las notas a la carta 2 a José de Ciria y Escalante.

A Melchor Fernández Almagro (5)

[Membrete:] Café Imperial, Granada

[Granada, finales de julio o primeros de agosto, 1921] *

¡Perdóname el papel!

Queridísimo Melchor:
Estoy en Granada, donde hace un calor verdaderamente infernal (qué *rarro, ¿*verdad?) ...¡pero acostumbrado al campo!...
He venido a saludar a los amigos y a tratar de un asunto precioso con Falla. Se trata de los *títeres de Cachiporra* que estoy *fabricando,* en los que el maestro tendrá parte activa. Ya te explicaré... si tú me contestas

inmediatamente. Veo que no me escribes; yo te he escrito dos largas cartas, y tú, en cambio, una y no muy larga que digamos.

Estoy trabajando bastante. He *compuesto* unos poemas del cuco (admirable y simbólico pajarito) y los *ensueños del río,* poemitas patéticos que siento dentro, en lo. más hondo de mi corazón infeliz. No tienes idea qué sufrimiento tan grande paso cuando me veo retratado en los poemas; yo me figuro que soy un inmenso cínife color violeta sobre el remansillo de la emoción. Bordar y bordar..., zapatero, tero, tero, ¡y nada! Estos días me siento embarazado. *He visto* un libro admirable que está por hacer y que quisiera hacerlo yo. Son «Las meditaciones y alegorías del Agua.» ¡Qué maravillas hondas y vivas se pueden decir del agua! El poema del agua que mi libro tiene se ha abierto dentro de mi alma. Veo un gran poema entre oriental y cristiano-europeo, del agua; un poema donde se cante en amplios versos o en prosa *muy rubato* la vida apasionada y los martirios del agua. Una gran Vida del Agua, con análisis detenidísimos del círculo concéntrico, del reflejo, de la música borracha y sin mezcla de silencio que producen las corrientes. El río y las acequias se me han entrado. Ahora se debe decir: el Guadalquivir o el Miño nace en Fuente Miña y desembocan en Federico García Lorca, modesto soñador e hijo del agua. Yo quisiera que Dios me diera fuerzas y alegría bastantes. ¡Oh, sí, alegría! para escribir este libro que también veo, este libro de devoción para los que viajan por el desierto. ¡Aunque me llamarais Seco de Lucena del Sahara!

Yo veo ya hasta los capítulos y las estancias (habría prosa y verso), por ejemplo: Los telares del agua, Mapa del agua, El vado de los sonidos, Meditación del manantial, El remanso. Y luego, cuando trate —¡sí, trate! (reza a los santos para que me den alegría)— del agua muerta, ¡qué poema tan emocionante el de la Alhambra vista como el panteón del agua!

Creo que, si yo atacase de firme esto, podría hacer algo, y si yo fuese un gran poeta, lo que se llama un gran poeta, quizá me hallase ante mi gran poema.

En fin, Melchorcito, ya sabes que eres tú quizá una de las tres personas a quien cuento esto; sé que tú me quieres y, sobre todo, me *animas* de una manera que yo no te agradeceré lo bastante.

Mañana me marcho al campo. Escríbeme en seguida y háblame mucho de todo.

Un fuerte abrazo de este tío (con su pollica y *tó*),

FEDERICO

De un poemita (*Ensueños del río*), una piedra del pórtico de lo que yo pienso.

CORRIENTE LENTA

Por el río se van mis ojos,
por el río...

Por el río se va mi amor,
por el río...

(Mi corazón va contando
las horas que está dormido.)

——

El río trae hojas secas
el río...

El río es claro y profundo,
el río...

(Mi corazón me pregunta
si puede cambiar de sitio)

(¡Oh, qué obsesión padezco del agua!) *Adiós.*

* No es de «verano 1923», como escribe Gallego Morell
(*op. cit.,* p. 51), sino de 1921. Lorca dice que ha «visto un
libro admirable que está por hacer y que quisiera hacerlo yo.
Son 'Las meditaciones y alegorías del agua'». Lo más probable
es que lo empezara a escribir inmediatamente después de volver a Asquerosa. La prosa (publicada por primera vez en Francisco García Lorca, *Federico y su mundo* [Madrid: Alianza
Editorial, 1980], pp. 170-3), contiene dos imágenes que aparecen también en cartas de este verano de 1921: 1) el camino
que va a *Ninguna parte* (cf. la carta 6), y 2) cigarras, o grillos, que frotan «sus dos laminillas de oro» (cf. la carta 4).
La primera de estas coincidencias fue señalada ya por Mario
Hernández en su edición de *Federico y su mundo* (p. 172,
nota). Esta misma carta 4 recuerda otras palabras de «Las
meditaciones...»: «modesto soñador e hijo del agua...», «vado
de los sonidos», «círculo concéntrico». La respuesta de M. F. A.
a la carta 5 está fechada el 4 de agosto de 1921. En ella escribe: «Tu intención de 'poemizar' el agua me parece maravillosa. El agua lo merece todo. [...] Supongo que recordará
Paquito su compromiso de enviarme tu *Cante jondo*».

A Melchor Fernández Almagro (6) *

[Membrete:] Centro Artístico

[Granada, ¿octubre? de 1921]

Queridísimo Melchorito:
¡VIVA EL ALTE!
En cama recibí tu carta, y hoy que me levanto te
contesto en esta carta *colta,* pero llena de cariño.
He padecido unas terribles neuralgias y fiebres; además me dolían las muelas. En fin, *er cormo.* En cuanto
me *leponga* pienso *ilme.*
Me parece admirable lo de la Revista, pero quisiera
que me contestaras en seguida comunicando los proyec-

tos de mi queridísimo amigo Gabriel [García Maroto] y demás cosas. Estoy impaciente.

Granada va palideciendo por instantes y en las calles que dan al campo hay una desolación infinita y un rumor de puerto abandonado.

El Otoño convierte a la vega en una bahía sumergida. En el cubo de la Alhambra ¿no has sentido ganas de embarcarte? ¿No has visto las barcas ideales que cabecean dormidas al pie de las torres? Hoy me doy cuenta, en medio de este crepúsculo gris y nácar, de que vivo en una Atlántida maravillosa.

Estoy deseando de marcharme y, sin embargo, no quisiera partir hasta que todo no estuviera dorado.

Los valles del Darro y del Genil en esta época otoñal son las únicas sendas de este mundo que nos llevarían al país de *Ninguna parte,* que debe estar entre aquellas nieblas de rumor.

Yo no estoy ni triste ni alegre; estoy dentro del otoño; estoy...

> ...*¡Ay corazón corazón!*
> *¡San Sebastián de Cupido!*...

En fin, Melchorito, escríbeme en seguida, no tardes, y cuéntame muchas cosas. Dale a Maroto un gran abrazo silencioso de mi parte y otro para ti de

FEDERICO

¿Hoy somos *maltes u miélcoles?*

Recuerdos de mi familia, de los amigos que te recuerdan; un abrazo de mi hermano Paquito.

---

* Al deformar fonéticamente las palabras arte (*alte*), reponga (*leponga*), etc., Lorca no sólo imita a quien sufre dolor de muelas, sino también el habla del músico granadino Angel Barrios (véase Francisco García Lorca, *op. cit.,* p. 130). No sé a qué poema inédito pertenecen los dos versos citados.

A Adolfo Salazar (2)

[Membrete:] Centro Artístico

[1 enero 1922] *

Año Nuevo

Queridísimo Adolfo: ¿Por qué he tardado tanto en escribirte?... pues porque tenía mal humor; mal humor de ver que no estaba en Madrid con vosotros, y mal humor de ¡cansancio de belleza! Todos los temas más maravillosos que he visto en mi vida han llenado estos meses mi corazón bailarín... y no era posible *crearlos* a todos. ¿Verdad que es para estar de mal humor? Pero siempre te estoy recordando. Falla te lo puede decir. He atravesado dos veces por el agua verde de las neuralgias, pero afortunadamente estoy ya bien, y espero que para después de Reyes me verás en Madrid. (Por encima del pupitre en que escribo está la Sierra nevada).

Mi silencio ha sido necesario... me lo he impuesto yo. ¿Para qué arañar las llaguitas que tengo debajo de mi túnica? ¿Verdad?

Ya *sabrás* lo del concurso de cante jondo. Es una idea nuestra que me parece admirable por la importancia enorme que tiene dentro del terreno artístico y dentro del popular. ¡Yo estoy entusiasmado! ¿Has firmado el documento? Yo no lo he querido firmar hasta última hora, porque mi firma no tiene ninguna importancia... pero me he tenido que casi poner de rodillas delante de *Manuelito* [de Falla] para que lo consiguiera, y al fin lo he conseguido. Esto es lo que yo debía hacer, ¿verdad? No sabes qué alegría tan grande me da el que ese señor *Juan* [Jean Aubry] me traduzca algunos poemas y sobre todo cuando sé que tú eres el *inductor*.

¡Si vieras cuánto he trabajado!... Terminé de dar el último *repaso* a las suites y ahora pongo los tejadillos de oro al «Poema del cante jondo», que publicaré coincidiendo con el concurso. Es una cosa distinta de las suites y llena de sugestiones andaluzas. Su ritmo es *estilizadamente popular,* y saco a relucir en él a los *cantaores* viejos y a toda la fauna y flora fantásticas que llena estas sublimes canciones. El Silverio, el Juan Breva, el Loco Mateo, la Parrala, el Fil̥o... y ¡la Muerte! Es un retablo... es... un *puzzle americano,* ¿comprendes? El poema empieza con un crepúsculo inmóvil y por él desfilan la *siguiriya,* la *soleá,* la *saeta,* y la *petenera.* El poema está lleno de gitanos, de velones, de fraguas, tiene hasta alusiones a Zoroastro. Es la primera cosa de *otra orientación mía* y no sé todavía qué decirte de él... ¡pero novedad sí tiene! El único que lo conoce es Falla, y está entusiasmado... y lo comprenderás muy bien conociendo a *Manué* y sabiendo la locura que tiene por estas cosas. Los poetas españoles no han *tocado* nunca este tema y siquiera por el atrevimiento merezco una sonrisa, que tú me enviarás en seguidita.

Ayer giré 100 pesetas a *Indice,* 50 de mis cuotas, y 50 que yo regalo de mis *aguinaldos.* Estoy contentísimo de la Revista. Mañana te enviaré varios originales para el *dedo* y que tú o Juan Ramón eligiréis; a mí me da lo mismo. Las subscripciones son más de treinta, pero tengo yo que ir de casa en casa para recoger el dinero. Dale muchos recuerdos a Juan Ramón y a todos los amigos. Dile a Ciria que cuando vaya en enero a Madrid que no me salude siquiera, pues yo no pienso hablarle más. Indudablemente la gente no es *como uno;* *uno* es tonto.

¿Me escribirás en seguida? Escríbeme. Cuando recibo tus cartas creo que me están abanicando con plumas de pavo real.

Anoche le dimos mi hermano y yo una serenata [a] Falla. ¡Qué cosa más divertida! Instrumenté yo la «Canción del fuego fatuo para trombón, clarinete, tuba y cornetín. Te aseguro que era una cosa endiablada... y ¡maravillosa! Cuatro músicos de la banda municipal se encargaron de tocarla, y dimos una deliciosa sorpresa a Manolo y María del Carmen. Les dio tanta risa que no se podían levantar para abrirnos. ...pero ahora viene lo gracioso. Falla dijo que aquella instrumentación era genial y que ni el gran Don Igor [Strawinsky] la soñaba siquiera, y, dando grandes voces, metió a los desarrapados músicos en su habitación, y les hizo repetir cuatro veces el divertido estrépito, ¡acompañándolos al piano! Te digo que yo gocé lo grande. Bueno... pues esta mañana se presenta en mi casa y me dice que la idea que yo tenía de hacer un teatro de cachiporra es menester llevarla a cabo, y me dice que te lo diga para animarte a terminar el Cristobital que yo ya veo como el primer episodio del cachiporra. Falla se compromete a hacer música ¡como la de anoche! para otras cosas, y asegura que Don Igor y Ravel harían inmediatamente cosas! Manuelito piensa, si hacemos esto, recorrer Europa y América con nuestro teatro de muñecos que se llamaría así: Los títeres de Cachiporra de Granada. Ya ves, Adolfito, como la murga de anoche sirvió para algo.

Falla está tan entusiasmado que anoche no durmió pensando en las instrumentaciones que hará para el cachiporra y yo te llamo la atención para que arremetas con nuestro Cristobital, que será lo primero que pongamos en la inauguración de los Títeres españoles. Yo estoy muy contento también porque si hacemos esto saldré contigo, Adolfito, en una obra que es la ilusión de mi juventud. Estoy deseando hablar contigo para empezar ardientemente el trabajo.

Ahora voy a recoger a mi familia y a subir a casa del maestro pues es su día y hay *guateque* en su jardín. Adios, adolfito con minúscula, un tierno abrazo de

Federico

Recuerdísimos de Paquito [García Lorca] y Alfonso [García Valdecasas].

¡¡¡Muy bien tu jeroglífico!!! No se lo digas a nadie, pero qué pobre lo de Gerardo Diego. ¡Qué pobretón de imágenes!

* Es del 1 de enero, por ser ese «el día» de Manuel de Falla, y de 1922, año en que tuvo lugar el Concurso de Cante Jondo que Lorca menciona.

A Adolfo Salazar (3) *

[*Fragmento*]

[comienzos de 1922]

Solalinde me escribe del Ministerio de Estado diciéndome que en *The Atheneum* de Londres ha salido un *largo* artículo sobre mi libro de *Poemas* (¡lagarto!, ¡lagarto!), en el día 15 de enero. Todavía no lo he mandado a pedir pero debe ser muy gracioso.

* Para el texto de este fragmento sigo a Daniel Eisenberg, «*Poeta en Nueva York*»: *historia y problemas de un texto de Lorca* (Barcelona: Ariel, 1976), p. 196. Según dicho investigador, «El 'largo artículo' de *The Nation and the Athenaeum* del 14 (no el 15) de enero era de J. B. Trend, y posteriormente fue reimpreso por Trend, *Alfonso the Sage*, Londres, 1926, pp. 155-61».

A Regino Sainz de la Maza (2)

[Membrete:] Centro Artístico

[Granada, comienzos de 1922] *

Querido Regino: Soy un sinvergüenza por no haberte contestado antes, pero mis trabajos y mi *especial* situación y estado de ánimo lo han impedido. Perdóname, pero bien sabes tú que este pobre poeta y soñador empedernido te quiere mucho aunque no tanto como te mereces tú. Este año no he vuelto a Madrid porque he estado haciendo *cosas* que no podía realizar en la Villa del Oso por su entraña andaluza y por su ritmo especial. Y ahora me alegro, pues he terminado un poema que me parecía irrealizable, y además proyectamos Falla y yo *grandes cosas* que ya se verán. Estoy contento. Granada me ha dado visiones nuevas y ha llenado mi corazón (demasiado tierno) de cosas imprevistas. ¡¡Tengo más ganas de verte!! ¿Por qué no vienes? ¡Decídete!

Mi libro ha tenido mucho éxito. Jean Aubry va a traducir al francés muchas de sus poesías y hace días recibí artículos escritos sobre él en Londres y Milán. ¡Esto es gracioso! ¿Verdad?... Pero estoy perdido... la Poesía se ha hecho dueña de mi alma. Como *Perico el de los Palotes,* estoy encerrado en una jaula de metáforas. No puedo mandarte el Libro de Poemas porque no tengo ni uno; si voy pronto a Madrid allí te lo entregaré si es que quedan. Te recuerdo constantemente y te quiero una *jartá.* Escríbeme en seguida más largo, que yo prometo contestarte.

FEDERICO

Si ves a Roberto Gerahar (no sé cómo se escribe) lo abrazas. [Gerhard].

* Debe ser, probablemente, de comienzos de 1922, lo que se deduce al compararla con las cartas 2 y 3 a Adolfo Salazar.

52

¿Cuál sería el artículo sobre *Libro de poemas* que Lorca había recibido de Milán?

A Melchor Fernández Almagro (7)

[Membrete:] Centro Artístico

[febrero, 1922] *

Queridísimo Melchorito:

Probablemente para el día 22 iré por esa, ya te lo comunicaré. ¿Qué piensas? Voy a dar una conferencia antes de irme sobre el cante jondo, que creo tendrá mucho interés y en seguidita marcho. Te recuerdo constantemente y hablamos mucho de ti Manolito y yo. ¡Pobre Manolo! Ya está más calmado, pero ha estado muy mal, pues todo eran recuerdos.

Deseo ardientemente estar en la villa y corte aunque el actual ambiente literario me asquee terriblemente. Me siento muy lejano de la actual descomposición poética y sueño con un amanecer futuro que tenga la emoción inefable de los cielos primitivos. Me siento Ecuador entre la naranja y el limón.

Amo el agua clara y la estrella turbia.

Saldrás a recibirme. ¡Si vieras lo fastidiado que he vivido esta temporada!

Como siempre te quiero.

FEDERICO

¿Saldrás a recibirme?

¡Abrazos de Paquito! Muchas cosas a Pizarrín. Dile que lo amo.

* G. M. (*op. cit.*, p. 102) fecha esta carta en 1929, pero la grafía y el asunto la relacionan con cartas de finales de 1921 y principios de 1922. La conferencia sobre cante jondo fue

leída el 19 de febrero de 1922, y no fue repetida, que sepamos, hasta la estancia de García Lorca en Cuba en 1930. Manuel Angeles Ortiz se quedó viudo el 13 de enero de 1922, según me informa Antonina Rodrigo, quien prepara un libro sobre el pintor.

A Regino Sainz de la Maza (3)

[Membrete:] Centro Artístico

[Granada, marzo 1922] *

Queridísimo Regino: Estamos atareadísimos y yo trabajando tanto que apenas si he tenido tiempo de escribirte... Pero ya sabes tú cuánto te quiere este poetilla y guitarrista (sé tocar algo ya). Falla está contentísimo porque han concedido el dinero (en el Ayuntamiento) y vamos a hacer la fiesta más interesante que desde hace años se ha celebrado en Europa. ¡Todos estamos satisfechísimos!

He preguntado en el Centro si podían traerte y me dicen que escribas inmediatamente *poniendo condiciones.* Escribe, pues, en seguida o telegrafía, que todos están dispuestos de la mejor manera. Yo tengo *altos proyectos,* ya te contaré... ¿Sabes que tengo una verdadera alegría al pensar que es probable que te vea? Si vienes lo pasaremos muy bien, pues Falla (*Manué* como le digo yo) es un elemento de primera fuerza para todo y yo pues soy un *loco* ¿qué más quieres? Me ha dado recuerdos tuyos un pianista llamado Franco.

¿Me contestarás? Adiós, Regino, ven a ver estas *talles* que tanto te entusiasman. — Te quiere

FEDERICO

* Es de 1922, no de 1921 (como sugiere, tentativamente, Arturo del Hoyo), pues la subvención del Ayuntamiento de Gra-

54

nada para el Concurso de Cante Jondo fue aprobada el día 22 de marzo de 1922 (véase Eduardo Molina Fajardo, *Manuel de Falla y el «cante jondo»* [Universidad de Granada, 1962], p. 76).

A Antonio Rodríguez Espinosa (1)

Antonio Rodríguez Espinosa. Calle de Segovia, 8 (Escuela Nacional)

Querido don Antonio: Le ruego entregue al dador los ejemplares de mi «Libro de Poemas», si le quedan algunos.

Reciba un abrazo de su siempre amigo y viejo discípulo

FEDERICO

A Manuel de Falla (1)

[¿1922?] *

Querido Don Manuel:

Ayer tarde vimos al señor Esteban (más loco que nunca) y nos dijo que él tenía *trescientas pesetas* para el concierto y que no traía a nuestra Wanda por su cuenta.

El asunto ha llegado a su cumbre, creo que esa señora no puede venir... en fin, nosotros hemos hecho todo lo posible. Yo no salgo de mi *apogeo,* como diría Chacón.

¡Hasta la noche!

FEDERICO

* A juzgar por la firma y letra, podría datar, como propone Gallego Morell (*op. cit.*, p. 109), de 1922, año en que Wanda Landowska da un concierto en Granada. (Véase Marie Laffranque, *Les Idées Esthétiques de Federico García Lorca* [París: C. R. H., 1967, p. 324]. Gallego Morell identifica al «señor Esteban» con «Emilio Esteban, padre político del pintor Gabriel Morcillo», y a «Chacón» con «Antonio Chacón, 'el emperador del cante jondo'» (G. M., *op. cit.*, p. 109).

A Manuel de Falla (2)

[¿julio 1922?] *

Queridísimo Don Manué (dos puntos)

Estoy entusiasmado con el proyecto de viaje a La Alpujarra. Ya sabe V. la ilusión tan grande que tengo de hacer unos *Cristobical* llenos de emoción andaluza y exquisito sentimiento popular.

Creo que debemos hacer esto muy en serio; los títeres de cachiporra se prestan a crear canciones originalísimas. Hay que hacer la tragedia (nunca bien alabada) del caballero de la flauta y el mosquito de trompetilla, el idilio salvaje de Don Cristóbal y la *señá* Rosita, la muerte de Pepe Hillo en la plaza de Madrid, y algunas otras farsas de nuestra invención. Luego habrá que llevar romances de crímenes y algún milagro de la Virgen del Carmen, donde hablen los peces y las olas del mar. Si vamos a La Alpujarra, habrá que llevar también algún asunto morisco, que podría ser el de Aben-Humeya. Nosotros, con que pongamos un poquito [de] amor en este asunto podremos hacer *arte* limpio y sin pecados, y no *alte*.

¿Cuándo vienen ustedes por aquí un día? En el pueblo no hace muchos días hubo un tío con unos cristobical que se *metía* con todo el público de una manera verdaderamente aristofanesca.

Manolito y usted pueden hacer cosas preciosísimas, y Mora, que conoce muy bien el bajo romance popular, puede ser utilísimo. Yo estoy dispuesto a todo, como sabe usted muy bien, ¡menos a poner telegramas!

Muchas gracias por su felicitación, de parte de mi padre. Recuerdos y *muchas cosas* de mi madre y hermana para María del Carmen, y ahí va un abrazo fuerte de su devotísimo y siempre amigo

FEDERICO

¡Que vengan ustedes!

* De 1922, año en que Lorca y Falla forman el proyecto de «hacer un teatro de cachiporra» (cf. la carta 2 a Adolfo Salazar). Posterior al 18 de julio, si podemos suponer que Falla había felicitado al padre de Federico en el día de su santo (último párrafo de esta carta).

A Melchor Fernández Almagro (8)

[Membrete:] José Mora Guarnido

[otoño 1922] *

Queridísimo Melchorito:

Aquí estoy en el Rinconcillo con Pepe Mora preparando la fiesta del azulejo y acordándome de ti como siempre y con el mismo cariño.

Yo quiero ir a Madrid porque, además de publicar un libro, tengo que cooperar a la *Revista* que proyectamos, pero es necesario que vengas tú, pues así tú acabarás de convencer a mi padre y me iré contigo.

Pensamos que antes o después del descubrimiento del azulejo haya un banquete a base de manjares granadinos, que ya conoces y que tan dignos son de elogio y veneración profunda.

He aprobado *diez* asignaturas y terminaré la carrera en enero. Entonces mi señor papá me dejará correr tierras. Pienso ir a Italia (a pesar de [Rogelio] Robles Pozo).

Adiós, Melchor. Un abrazo de

FEDERICO

Querido Melchorito:
He tardado en escribirte porque esperaba darte datos seguros sobre la fecha del descubrimiento del azulejo a Gautier. No tengo aún esos datos; pero hemos pensado que, siendo vosotros los de Madrid los que tenéis que realizar el mayor esfuerzo para asistir, seáis los que os pongáis de acuerdo sobre la fecha en que os resulte más conveniente el viaje y nos lo comuniquéis. Yo espero que el azulejo estará pegado a la pared por los *esclavos* de Fernando Vilchez el día 15. A Ramón [Gómez de la Serna] le he escrito hablándole de esto. A «Azorín» y [Enrique Díez-] Canedo les escribiremos carta firmada por todos y con la indicación de que ya les habrás hablado tú del asunto.
Creo que vendrás. Aquí te hablaremos de otros proyectos del Rinconcillo. Leí tu último artículo.
Abrazos.

MORA

Queridísimo Melchor:
Esta noche soy ya Licenciado con sobresaliente. Tengo una poca cantidad de alcohol. Figúrate que no lo he probado. ¡Yo te quiero, Melchor!
Un abrazo muy fuerte.

PAQUITO [GARCÍA LORCA]

¡Gautier no! Te quiere fraternalmente

F[rancisco] SORIANO [LAPRESA]

Le saluda y le visitará pronto otro… licenciado.

[Antonio] MORÓN [PEREA]

58

Post Scriptum: Usted no me recordará... Bueno... sí... Una noche le acompañé a la «Revista Alhambra» con [Antonio] Gallego [Burín]... Usted me aconsejó sobre mis aficiones... ¿Sí? Vale.

Morón ni es licenciado ni puede acompañar a nadie.

A[ntonio] DE LUNA

* No es fácil saber cuál de estas cartas (8 y 9) es la primera. En la 8, Federico afirma haber aprobado diez asignaturas, y su hermano dice ser «Licenciado con sobresaliente»: podrían referirse a los exámenes de otoño (Federico espera terminar la carrera *en enero*). La carta 9 parece ser posterior a la 8, pero tiene que ser anterior a *enero* de 1923 (Federico anuncia: «Yo me marcho en enero definitivamente...»). No he podido encontrar la fecha de la colocación del azulejo (carta 8). La idea de conmemorar el cincuentenario (1922) de Gautier con un azulejo fue lanzada por M. F. A. en un artículo del día 16 de agosto de 1922 en la prensa madrileña (véase Antonio Gallego Morell, *Antonio Gallego Burín (1895-1961)* (Madrid: Editorial Moneda y Crédito, 1973, pp. 40-1 y 134). ¿Se equivoca G. M. de año? En su carta a F. G. L. del 21 de agosto de 1921 (archivo de la familia García Lorca) escribe Melchor Fernández Almagro: «Voy a mandar mi artículo al *Noticiero* sobre la idea de colocar «una lápida o azulejo en honor de Gautier. Supongo que la idea te gustará. Le he dicho a Mora que él también escriba algo para formar ambiente. Tú asimismo debes contribuir».

A Melchor Fernández Almagro (9)

[Membrete:] José Mora Guarnido

[otoño o invierno 1922]

Querido Melchorito:

Ahora eres tú el que me tienes olvidado. Comprendo que tendrás muchas cosas que hacer. Tenemos en proyecto empezar a hacer las publicaciones del *Rinconcillo*. Yo he propuesto que sea una especie de revista no periódica en la que se vayan insertando todas las cosas interesantes que cada uno tenga. Se edita, se pone a la venta, y los Rinconcillistas cubrimos el déficit si la venta no llena los gastos de edición. ¿Te parece?

Para el primer número hemos pensado Federico y yo en uno de sus poemas y una de las preciosas cartas que Miguel Pizarro ha escrito a su casa durante su viaje al Japón. Una página al principio explicando la razón de estas ediciones completaría el texto, y una nota bibliográfica al final, de la que puedes encargarte tú, aunque los demás te ayudemos.

Podrías tú asimismo hacer para el segundo número un ensayo sobre el teatro en España en estos últimos años. Mientras tanto, le escribiremos a Montesinos para que haga algo y a Juan de Dios, Cienfuegos, Paquito Campos, etc.

Para estas publicaciones, y para los azulejos que pensábamos hacer, se necesita contar ya con el emblema del *Rinconcillo*, cuya creación tú nos proponías. Federico ha propuesto tres emblemas: un candil y una estrella encima, la rosa de los vientos, o la constelación Lira con las estrellas unidas por líneas de puntos en azul. A mí no se me ocurre nada, y todos me gustan. Dinos tu opinión, o si a ti se te ocurre algún otro para que cuanto antes decidamos y que Manolo Ortiz nos lo dibuje.

Si piensas venir a fin de año podríamos organizar algo para esa fecha. A ver si puedes traerte a algún *hombre ilustre que nos dé tono.*

Aquí todo va bien. Pensamos organizar un Ateneo.

¿Qué te pareció mi artículo sobre el azulejo a Gautier?

Soriano y Federico dijeron anoche que te escribirían.

Te abraza

MORA

Recuerdos a tu familia.

Queridísimo Melchorito: Ya has visto los proyectos de Mora, ¿qué te parecen? A mí me gustan mucho y los creo factibles, pues además de hacer falta tenemos amigos que seguramente nos ayudarán.

Yo me marcho en enero definitivamente, pero no a Madrid sino a París.

Estoy muy triste porque me gustaría estar ahí contigo y mis *compañeros de alte* pero trabajo mucho y... ¡¡ya se verá!!

Escríbeme, pues no te puedes imaginar la alegría que me dan tus cartas. Yo en cambio te mandaré poemas.

Ciria y Garfias me escribieron; yo les estoy muy agradecido, pero me aterra publicar cosas, ¡así estoy!

Adiós, Melchorito, saluda a los amigos, y ten la bondad de escribirnos.

¡Contesta diciendo qué te parecen nuestros proyectos!

Federico

A Melchor Fernández Almagro (10)

[Granada, fines de diciembre 1922] *

Queridísimo Melchor:

Hace tiempo que yo no te escribo *a ti solo* sin colaboración con nadie y no quiero dejar que pase el tiempo sin felicitarte por tu primoroso y concentrado artículo para *Sur*. Mora es todavía el hombre de los artículos largos y lo que le pasó para escribirte aquella carta fue que él hubiese deseado que tú te hubieras descolgado con el oro y el moro mandando veinte cuartillas, pero a todos nos entusiasman tus cosas, y esto ya lo sabes tú... ¡y a Mora el primero! Veremos a ver cuándo sale esto, pues aunque hay entusiasmo tienen todos poca gana de trabajar.

El objeto de la presente es invitarte a un teatrito que Falla y yo vamos a hacer en mi casa. Será un Guiñol extraordinario y haremos una cosa de arte puro del que tan necesitados estamos. Representaremos en *Cristobical* un poema lleno de ternura y giros grotescos que he compuesto con música instrumentada por Falla para clarinete, viola y piano. El poema se llama «La niña que riega la albahaca y el príncipe preguntón» y tiene un gran sabor granadino. Además, pondremos en escena, también por el mismo procedimiento de *Cristobical*, el

61

entremés de Cervantes *Los habladores* con música de Strawinsky, y para final representaremos ya en teatro planista el viejo *Auto de los Reyes Magos* con música del siglo xv y decoraciones copiadas del códice de Alberto Magno de nuestra Universidad.

¿Vendrás, Melchorito? Anímate y nos ayudas a esta fiesta para los niños amiguillos de Isabelita [García Lorca].

Estamos todos contentísimos. Falla parece un chico diciendo «¡Oh, va a ser una cosa única!» Anoche se quedó hasta las tantas trabajando y copiando las partes de los instrumentos con el mismo entusiasmo que un muchacho lo haría.

¡Debes venir!

Adiós, Melchor, un abrazo entrañable de este poetilla

FEDERICO

¡Qué admirable está Granada en Pascua!
¿Recuerdas? ...pues ven.

* Probablemente escrita a finales de diciembre, pues Lorca invita a M. F. A. a la fiesta que está preparando para el Día de Reyes de 1923. G. M. (*op. cit.*, p. 48) une a esta carta, no sé por qué razón, un poema sin fecha escrito en dos hojas sueltas:

El río Guadalquivir
va entre naranjas y olivos.
Los dos ríos de Granada
bajan de la nieve al trigo.

¡Ay amor que se fue y no vino!

El río Guadalquivir
tiene las barbas granates.
Los dos ríos de Granada
Uno nieve y otro sangre

¡Ay amor que se fue por el aire!

62

Para los barcos de vela
Sevilla tiene un camino.
Por los ríos de Granada
sólo reman los suspiros

¡Ay amor que se fue y no vino!

Guadalquivir alta torre
y viento en los naranjales
Darro y Genil: fuentecillas
muertas sobre los estanques.

¡Ay amor que se fue por el aire!

¡Quién dirá que el agua lleva
un fuego fatuo de gritos!

¡Ay amor que se fue y no vino!

Lleva azahar, lleva olivas
¡Andalucía a tus mares!

¡Ay amor que se fue por el aire!

A Melchor Fernández Almagro (11)

[Membrete:] José Mora Guarnido

[Granada, fines de diciembre 1922]

Recibí tu última carta.

Hemos pensado, en vista de lo que nos dices de tu proyecto
de escribir un artículo sobre el poeta Soto de Rojas, que nos
lo hagas para el primer número de la Revista. Queremos dar en
éste una impresión *grande,* indispensable para el programa que
tenemos para los números siguientes. No creas que es éste un
modo de *dar de lado* a tu artículo anterior. Lo que pasa es
que el segundo número pensamos dedicarlo todo a hacer un
llamamiento al mundo sobre las barbaridades que la Beotia
burguesa ha hecho, está haciendo, y hará en Granada, si no

se remedia de algún modo, y, naturalmente, el artículo de Soto de Rojas no cuadraría bien en un texto de índole tan distinta, además de que para ese número tú debes hacer otro artículo con las cosas que tienes que decir sobre la sistemática destrucción de Granada por los burgueses. Por consiguiente, como la cosa no nos urge mucho, y tú desde el día 4 estás libre de tus ahogos *ganivetianos*, escribe entonces ese artículo sobre Soto de Rojas y dinos dónde están sus poesías que no conocemos y nos placería leer y publicar.

Te advierto que tu descubrimiento ha causado gran sensación. Estamos dispuestos, desde luego, a publicar poemas de Soto en la Revista y a hacerle un gran homenaje con azulejo en la Casa de los Mascarones y todo. Pero si retrasas tu artículo... yo no respondo de que se publiquen por ahora más de dos números de la Revista, o acaso tres, si el tercero lo dedicamos por fin al gran homenaje a Falla que tenemos pensado y del cual te hablaré. Sería una lástima que la reivindicación literaria de Soto de Rojas no la lleváramos a cabo nosotros. Yo sé que si tú quieres puedes hacerlo cuanto antes y enviarlo. Federico y Falla están ahora organizando un guiñol para Reyes. Ya te enviaremos un programa redactado con ortografía andaluza. Ahora no tengo tiempo de decirte más.

Recuerdos.

Feliz año nuevo.

Un abrazo

MORA

Te escribí invitándote al guiñol * que el maestro y yo vamos a hacer en mi casa, pero no he recibido contestación. Esto me llena de tristeza, pues estoy entusiasmado y me *h*echas un jarrito de agua fría. Trabajo mucho. ¡Gran realización de poemas! Adiós, Melchor cruel y frío... ¡y Nerón!

FEDERICO

Mándanos el artículo y aviva este fuego que falta hace.

* Lorca se refiere, igual que en la carta 10, a *La niña que riega la albahaca y el príncipe preguntón,* representada en su casa el Día de Reyes de 1923.

A Regino Sainz de la Maza (4)

[Granada, enero 1923]

Queridísimo Regino: Aunque tú no lo creas, yo siempre te recuerdo con gran cariño y si tardo en contestarte es porque estoy agobiado de trabajo. Voy a hacer mi *primera salida* al extranjero y quiero que sea brillantísima.

En Granada he trabajado mucho y he afianzado mi alma en la naturaleza limpia.

Falla y yo hemos celebrado una fiesta deliciosa en la sala de mi casa y te mando un programa como recuerdo de ella *.

¿Cuándo nos veremos? Desearía fuera lo antes posible. Adiós, Regino, un gran abrazo (estilo gitano) de

FEDERICO

Falla te envía sus recuerdos; contéstame diciendo qué te parece el programa.

* La fiesta que menciona Lorca es, seguramente, la representación de *La niña que riega la albahaca,* que tuvo lugar en su casa el 6 de enero de 1923.

A Melchor Fernández Almagro (12)

[Membrete:] Sur. Revista no periódica. Granada

[Granada, enero 1923] *

Querido Melchorito:
Acabo de recibir tu carta. Esperaba que vendría en ella el artículo de Soto.

Estamos ya para meter en prensa el primer número de la Revista. ¿Te gusta la viñeta? Así es la portada, pero a dos colores.

65

3

Te enviaré las fotos del retablillo. No te escribo más porque quiero que esta salga hoy Lunes.

Abrazos,

MORA

Te insisto en la necesidad de que envíes tu interesante artículo cuantos antes.

—

¡Venga pronto ese artículo!

Le saluda muy cordialmente su amigo

MANUEL DE FALLA

Sigo también pidiéndole el artículo para cuanto antes.

Aftmos. saludos de su buen amigo

H. LANZ

Queridísimo Melchor:

Desde casa del maestro te envío un saludo cordial y un abrazo. Recibí tu carta. *¡Atenderemos a Guillermo de Torre!* ¡Atenderemos a Guillermo de Torre! No tengas ningún cuidado, pero de Martínez Lumbreras no te respondo. Ya sabes que es inexorable. Como no sepa Hacienda, creo que no saldrá. ¿Por qué no ha ido a Murcia? Recibí una postal suya con un retrato. Me ha causado profundo disgusto su manera de hacerse la propaganda (bastante antigua y vulgar).

Adiós, Melchor. Te quiere siempre y de verdad

FEDERICO

* Corrijo la fecha (otoño de 1926) dada por G. M. (*op. cit.*, p. 89). Esta carta, escrita en el membrete de la desconocida revista granadina *Sur* (la viñeta es una rosa de los vientos sugerida, quizás, por el propio García Lorca: véase la carta 9) ha de relacionarse con la 11, en la cual Mora le pide a M. F. A un artículo sobre el «descubrimiento» de éste de Soto de Rojas. Si las «fotos del retablillo» que Mora ofrece mandar a M. F. A. son fotos de la representación de *La niña que riega la albahaca* y de *Los habladores,* esta carta podría ser de enero de 1923.

A Manuel de Falla (3)

[M: Madrid, 2 marzo 1923]

Queridísimo Don Manuel:

¡Le saludamos desde Madrid!

Ya le escribiré yo muy largo contándole *muchas cosas* y muy interesantes. El lunes terminé (ya tranquilo) *una cosa* (Enigma).

Ahora estoy dedicado a enseñar Madrid a Paquito. Su figura se agranda con la distancia de una manera magnífica. El guiñol trae intrigados a muchos. *¡Garrotazo y tentetieso!*

Muchos recuerdos a María del Carmen [de Falla] y a los amigos; para usted mi cariño; y mi respeto.

FEDERICO

Querido Don Manuel:

Un saludo cariñoso y afectuoso para usted y abundantes recuerdos para María del Carmen de

PACO [García Lorca]

A Francisco García Lorca (1)

[Telegrama]

[2 abril 1923]

Reunidos carmen cante jondo, con asistencia de tu madre y hermana Conchita, indignadas contigo por no escribirlas, acordamos, aunque no lo mereces, felicitarte día tu santo. Mariscos, demás artículos fiesta onomástica. [Enrique Díez-]Canedo, [José de] Ciria [y Escalante], Melchor [Fernández Almagro] marcharon contentos de Granada. Ilustre poeta Capdepón * llega

67

en este momento. Se adhiere felicitación enviando correo siete sonetos circunstanciales.

MANUEL FALLA	ENRIQUETO
MARÍA DEL CARMEN [FALLA]	HERMANOS MORA [GUARNIDO]
MAMÁ VICENTA	OSORIO
CONCHITA	SORIANANTE [Paquito Soriana Lapresa]
ISABELITA	[ANTONIO] GALLEGO [BURÍN]
[J. F.] MONTESINOS	MARTÍNEZ RUS
NAKAYAMA KOICHI	[JOSÉ] NAVARRO

* Sobre Isidro Capdepón Fernández véase «El Rinconcillo y el Centro Artístico. La invención de un poeta apócrifo» en Francisco García Lorca, *Federico y su mundo* (Madrid: Alianza Editorial, 1980), pp. 103-13.

A Manuel de Falla (4)

[Tarjeta postal]

[M: San Sebastián, 8 mayo 1923]

Sr. D. Manuel Falla, 66 Av. Mozart, XXI Paris, France

Queridísimo Don Manuel: Invitado por un amigo de la Residencia, he venido a pasar unos días en las montañas de San Sebastián. No pude ir a Roma porque mis padres no me dejan. Las causas ya las diré por carta. Nuestro asunto marcha perfectamente. Hice una nueva versión del romance para que V. elija. Ya sé el gran éxito que tuvo V. en Bruselas, que me alegra como propio, pues ya sabe V. el cariño y la admiración tan grande y entusiasta que tengo por su obra y su persona.

¡Cómo siento no poder estar con V. en la ciudad y [sic] santa y en toda la maravillosa Italia! Pero como yo espero que nuestro proyecto se realice, ya tendré el enorme placer de visitarla en su compañía.

Adiós, queridísimo Maestro, un abrazo muy fuerte de

FEDERICO

¡Que me escriba por donde pase!

A J. de Ciria y Escalante (1)
y a Melchor Fernández Almagro

[Asquerosa, julio de 1923]

Queridísimos Pepito y Melchorito:
En realidad estoy *viudo* sin vosotros.
Yo quiero que nosotros tres seamos la santísima trinidad de la Amistad. Un Poeta (no te rías, Melchor) y tres realidades. ¿Trabajas, Ciria?... ¡eres incorregible! Y tú, Melchor, transido y patético, ¿qué haces frente al mar?
Os quiero y os recuerdo como no tenéis idea.
He terminado un poema, «El jardín de las toronjas de luna» y estoy dispuesto a trabajar todo el verano sobre él, pues tengo una ilusión infinita de que sea como le he visto. Puede decirse que lo he hecho de una manera febril pues he trabajado veinte días con sus veinte noches... pero no ha sido más que para *fijarlo*. Los paisajes en este poema son absolutamente inmóviles, sin viento ni ritmo alguno. Yo notaba que mis versos huían entre mis manos, que mi poesía era fugitiva y *viva*.

Como reacción a este sentimiento, mi poema actual es extático y sonámbulo. Mi *jardín* es el jardín de las posibilidades, el jardín de lo que no es, pero pudo (y a veces) debió haber sido, el jardín de las teorías que pasaron sin ser vistas y de los niños que no han nacido. Cada palabra del poema era una mariposa y he tenido que ir cazándolas una a una.

Luego he sostenido una lucha con mis dos enemigos seculares (y de todos los poetas) la Elocuencia y el Sentido Común... lucha espantosa cuerpo a cuerpo como en las batallas del poema del Cid.

Si sois buenos amigos míos me escribís en seguida en seguida, y yo os enviaré alguna canción de dicho jardín, por ejemplo la «canción del muchacho de siete corazones» o el «lamento de la niña sin voz», que me parecen bastante *conseguidas*.

A Gerardo Diego no le escribí dándole las gracias por haberme enviado su precioso libro *Soria*... pero tú sabes, Melchorito, que cuando yo no tengo confianza con la persona a quien escribo, ¡no sé qué decirle!, y aunque el libro de Diego es bueno y él es un gran poeta, a mí me costaba trabajo darle las gracias, elogiarlo, ¡y nada más!... ¡Soy hombre al agua!, *no tengo mundo* y se disgustará todo el *mundo* conmigo, ¡pero yo no puedo remediarlo! Si ves a Gerardo le dices lo mucho que lo admiro y le estrechas la mano de mi parte.

Pepito, que trabajes, ¡por Dios!, y me contestes en seguida.

Vuestro

FEDERICO

Estoy en el campo. Mis señas:. San Pascual (apeadero), Granada.

Te giraré el dinero que te debo, Melchor. ¡Perdón!

A Manuel de Falla (5)

[Membrete:] Caleta Palace (S. A.). Hotel Hernán Cortés. Caleta (Málaga) [etc.]

[Málaga, ¿julio 1923?] *

> *¡Viva Málaga, señores!*
> *Viva el puente de Tetuán*
> *el huerto de los claveles*
> *y el barrio e la Trinidad.*

Queridísimo Don Manuel (maestro ((en el buen *sentido* de la palabra)) y ((poco ancho que me pongo)) *colaborador*): Málaga es maravillosa y ahora ya lo digo dogmáticamente. Para ser un buen andaluz hay que creer en esta ciudad, que se estiliza y desaparece ante el mar divino de nuestra sangre y nuestra música.

¡Es imprescindible que venga V.! Ayer dimos un paseo en automóvil hasta Fuengirola y lo tuve presente constantemente... ¡Qué evocación de bandoleros y contrabandistas! Creo que donde se *agudiza* más la Andalucía del siglo diecinueve es en los montes rojos que, llenos de casas blancas y de campanillas azules, vibran sobre este pedazo incomparable de mar.

Adiós, querido don Manuel, mis amigos vienen: «Federiquito *vámono* a *da* un *pazeo* por la Cala». Y en esta supresión *exacta* de consonantes encuentro yo nuestra gracia y perfección. Recuerdos a los amigos y en particular a Carmen [de Falla] (como le dice Segis [Segismundo Romero]). ¡Avíseme la llegada!

Un abrazo admirativo de

FEDERICO

Muchas cosas de mi familia.

* Es posible que este viaje a Málaga y «paseo en automóvil hasta Fuengirola» constituya la «larga excursión automovilista» mencionada en la carta 2 a Ciria y Escalante. Cf. también la carta 13 a Melchor Fernández Almagro. La obra en que colabora Lorca con Falla podría ser *La comedianta*. El «Segis» del penúltimo párrafo es Segismundo Romero, secretario de Falla.

A José de Ciria y Escalante (2)

[Dibujo: cuatro limones]

[M: Asquerosa, 30 julio 1923]

¡¡Qué bien están los limones sobre
los senos de una mujer opulenta!!

Queridísimo Pepito:

Después de una larga excursión automovilista encuentro tu tarjeta con varios días de retraso, y te agradezco muchísimo los elogios que me haces de los poemas que no conoces todavía.

Estoy pasando un estío febril y amargo, solicitado por una muchedumbre de poemas que me hacen la vida imposible; por eso he decidido dedicar mi atención a mi jardín de toronjas de luna y dejar los otros para más tarde.

Ayer estuvo a visitarme la pastora Amarilis, que venía de la noche cuadrada de los sonetos a que yo la cantase; viejecita y temblona, coronada de flores de trapo. Venía de visitar a los ultraístas, pero éstos, como estaban con la Eva porvenirista, pues naturalmente no la hicieron caso...; ¡y a mí me dio una lástima!... Yo la atendí muy bien; le di una taza de café con leche y le prometí resucitarla en un poema en que ella iría cantando, cubierta de cigarras y luciérnagas, por un campo de narcisos y cristales. Si te visita a ti y a Diego, hacedlo bien con ella, mirad que está muy vieja y se nos puede morir de un momento a otro. Yo te ruego que hagas este poema de la vieja Amarilis para que yo pueda terminar y *pulir* mi jardín extrañísimo de toronjas de luna.

Te voy a enviar varias estampas de este poema con la condición de que no las leas a nadie, pues aún no están acabadas, ¿lo harás? *.

Ahora más que nunca, las palabras se me aparecen iluminadas por una luz fosfórica, y llenas de misteriosos sentidos y sonidos. ¡Tengo verdadero pánico de ponerme a escribir! …¡y qué alegría tan grande me dan nuestros viejos poetas! Pepito, que me contestes a vuelta de correo, diciéndome qué te han parecido mis pobres versos, ¡pero no los leas a nadie! Cada día sufro más de ver que tengo que publicar en seguida mis *Suites*. En el mes de Septiembre preparamos Falla y yo la segunda representación de los títeres de Cachiporra, en los que representaremos un cuento de brujas, con *música infernal* de Falla y además colaborarán Ernesto Halffter y Adolfito Salazar. Saluda cariñosamente de mi parte a nuestro camarada Gerardo Diego.

¡Que no leas a nadie mis versos!

Y que me escribas en seguida, enviándome cosas tuyas. Adiós. Tu poeta

FEDERICO

Si después de enviarte tantas cosas no me contestas en seguida diciéndome claramente lo que te parecen, me enfadaré y no te dedicaré nada.

¡Me da pena no poderte enviar entero el poema!

PORTICO

Tan tan
El aire se había muerto
estaba inmóvil y arrugado.

—

Los pinos vivos, yacían en tierra
Sus sombras de pie ¡temblando!

Yo - Tú - El
(en un solo plano)

CANCIONCILLA DEL NIÑO QUE NO NACIO

¡Me habéis dejado sobre una flor
de oscuros sollozos de agua!

—

El llanto que aprendí
se pondrá viejecito,
arrastrando su cola
de suspiros y lágrimas.

—

Sin brazos, ¿cómo empujo
la puerta de la Luz?
Sirvieron a otro niño
de remos en su barca.

74

Yo dormía tranquilo
¿Quién taladró mi sueño?
Mi madre tiene ya
la cabellera blanca.

—

¡Me habéis dejado sobre una flor
de oscuros sollozos de agua!

EL SATIRO BLANCO

Sobre narcisos inmortales
dormía el sátiro blanco.

—

Enormes cuernos de cristal
virginizaban su ancha frente.

—

El sol como un dragón vencido,
lamía sus largas manos de doncella.

—

Flotando sobre el río del amor
todas las ninfas muertas, desfilaban.

—

El corazón del sátiro en el viento
se oreaba de viejas tempestades.

—

La siringa en el suelo era una fuente
con siete azules caños cristalinos.

Estas son estampas del jardín... ¡el poema es muy difícil de explicar en una carta!

ARCO DE LUNAS

Un arco de lunas negras
sobre el mar sin movimiento.

—

Mis hijos que no han nacido
me persiguen.

—

«¡Padre no corras, espera,
el más chico viene muerto!»
Se cuelgan de mis pupilas.
Canta el gallo.

—

El mar hecho piedra ríe
su última risa de olas.
«¡Padre no corras!».................
                    Mis gritos,
se hacen nardos.

—

Esto, desglosado del poema, pierde mucho dramatismo. Las hojas están escritas por los dos lados.

OTRA ESTAMPITA

Las antiguas doncellas
que no fueron amadas,
vienen con sus galanes
entre las quietas ramas.

— —

Los galanes sin ojos
y ellas sin palabras,
se adornan con sonrisas
como plumas rizadas.

— —

Desfilan bajo grises
tulipanes de escarcha,
en un blanco delirio
de luces enclaustradas.

— —

La ciega muchedumbre
de los perfumes, vaga
con los pies apoyados
sobre flores intactas

— —

¡Oh luz honda y oblicua
de las yertas naranjas!
Los galanes tropiezan
con sus rotas espadas.

En medio del poema este sencillo romance llena muy bien su papel.

TIERRA	CIELO
Las niñas de la brisa Van con sus largas colas.	Los mancebos del aire Saltan sobre la luna.

¡AMANECER Y REPIQUE!
(fuera del jardín)

El sol con sus cien cuernos
levanta el cielo bajo.

—

Su mismo gesto repiten
los toros en la llanura.

—

La pedrea estremecida
de los viejos campanarios,

—

despierta y pone en camino
al gran rebaño del viento

—

En el río ahora comienzan
las batallas de los peces

Alma mía niño y niña
¡¡Silencio!!

Este es el final del poema, pero todo esto cambiará
mucho; por eso no quiero que circule. ¡Dime qué te
parece en seguida!

78

* Gallego Morell une a esta carta los poemas «Venus» y «Nocturno esquemático» y la canción que empieza: «La mar no tiene naranjas...», poemas que no están relacionados en absoluto con el «jardín» mencionado por Lorca y que transcribo después. Los poemas que sí debieron haber acompañado a esta carta son los que Gallego Morell unió erróneamente a las cartas 13 y 22 a Melchor Fernández Almagro.

Probablemente, todos estos poemas pertenecían a la suite titulada «En el jardín de las toronjas de luna» (véase la reconstrucción parcial de Miguel García-Posada, ed., *Federico García Lorca, Poesía, I*, pp. 435-41 y 554).

Como dispongo solamente de fotocopias, y no he podido consultar los originales, me ha sido imposible averiguar en qué orden debieron de ir los poemas.

Los poemas (seguidos de una frase de F. G. L.) que Gallego Morell unió equivocadamente a la carta 22 a M. F. A. son los siguientes (faltándome fotocopias, sigo el texto de G. M., pp. 129-30):

VENUS

La joven, muerta
en la concha de la cama,
desnuda de flor y brisa,
surgía en la luz perenne.
Quedaba el mundo.
Lirio de algodón y sombra,
asomado a los cristales,
viendo el tránsito infinito.

La joven muerta
surcaba el amor por dentro.
*(En la espuma de las sábanas
se perdía su cabellera.)*

Y esta canción:

La mar no tiene naranjas
ni Sevilla tiene amor.
Morena, ¡qué luz de fuego!
Préstame tu quitasol.

Me pondré la cara verde,
zumo de lima y limón.
Tus palabras —pececillos—
nadarán alrededor.
¡Que el mar no tiene naranjas
ni Sevilla tiene amor!

Hinojo, serpiente y junco.
Aroma, rastro y penumbra.
Aire, tierra y soledad...
(La escala llega a la luna).

. Supongo que me escribirás pronto, pues sabiendo tú lo que a mí me interesan tus opiniones no te retrasarás.

A Adriano del Valle (3)

[M: 30 julio 1923] *

Sr. D. Adriano del Valle y Rossi. Castelar, 16. Huelva

Queridísimo Adriano:

De mucho tiempo nos conocemos, y si yo he dejado de escribirle, ha sido por la desesperanza que en mí ha producido el no poderle hablar frente a frente. Yo soy un hombre apasionado y las epístolas vienen llenas de escarcha, ¿verdad? Pero sepa que yo guardo su amistad de poeta como un tesoro tierno e intacto.

Ahora estoy en una finca de mi padre, acompañado del maravilloso Falla.

Usted sabe cuánto le admira y quiere su compañero

FEDERICO

¡Escríbame!
Mis señas: San Pascual (apeadero). Granada.

* Un sobre todavía conservado (forma el folio 24 del manuscrito) lleva matasellos que parece indicar el 30 de julio de 1923. La estancia de Federico en el campo en aquel verano está atestiguada por varias cartas (véase también la núm. 6 a Manuel de Falla). Se conserva, en el archivo de la familia García Lorca, la respuesta de Adriano del Valle a esta carta. No lleva fecha, pero las señas de Del Valle son idénticas a las que

aparecen en dicho sobre. Aparentemente, hacía mucho tiempo que Lorca no le había escrito. Dice Del Valle, refiriéndose a la carta 2 de Federico: «Todavía conservo una carta de Vd. en la que me prometía el envío, para ser publicada en *Grecia*, de su 'Elegía de los sapos'. No la he visto publicada después...»

A Melchor Fernández Almagro (13)

[Dibujo: botijo]

[julio 1923] *

Queridísimo Melchorito:

No te he escrito antes porque no hay derecho a tardar lo que tú has tardado en contestarme, sabiendo el aprecio que yo hago de tus cartas.

Ya se está terminando mi temporada de campo, pues dentro de pocos días regresaremos a Granada, y de allí es probable que a Málaga (la ciudad que más quiero de toda Andalucía, por su maravillosa y emocionante sensualidad en carne viva), donde veré el mar, la única fuerza que me atormenta y me turba de la Naturaleza... ¡más que el cielo! ¡mucho más! Ahora mismo me pondría a decirte muchas cosas del mar... ¡pero para que las oyera el mar! Frente al mar olvido mi sexo, mi condición, mi alma, mi don de lágrimas... ¡todo! Sólo me pincha el corazón un agudo deseo de imitarlo y de quedarme como él, amargo, fosfórico y desvelado eternamente.

Es curioso que yo no tenga envidia ni desee cosas de hombre, sino cosas de las Cosas... pero si sigo así te voy a dar la lata, y no quiero... hay ciertos sentimientos que no se deben enseñar... ¡y de esto tengo yo papeles! (pero de verdad).

He trabajado bastante y estoy terminando una serie de *romances gitanos* que son por completo de mi gusto. También estoy haciendo interpretaciones modernas de figuras de la mitología griega, cosa nueva en mí que me distrae muchísimo. De teatro he terminado el primer acto de una comedia (por el estilo de Cristobical) que se llama «La zapatera prodigiosa», donde no se dicen más que las palabras precisas y se *insinúa* todo lo demás. Como yo creo que una comedia se puede saber si es buena o mala con sólo leer el reparto, te lo envío para que me digas qué te parece.

1. La zapatera
2. La vecina vestida de rojo
3. La beata
4. El zapatero
5. Don Mirlo
6. El niño amargo
7. El alcalde
8. El tío del Tatachín
    vecinos y curas
    Música: flauta y guitarra

Léele el reparto a Cipriano el *simpático* y *culto* comediógrafo y dile si quiere colaborar conmigo en otra cosa que preparo, que ya le diré.

Adiós, Melchorito, recuerdos a todos y un abrazo para ti de

FEDERICO

A [Enrique Díez] Canedo le das un abrazo si está ahí. Pronto te enviaré *eso,* dentro de un día o dos que vaya a Granada.

Te mando poemas, ¡para que veas!

* A falta de datos nuevos, acepto la fecha propuesta por G. M. (*op. cit.,* p. 52). Sobre los cuatro poemas que G. M. une erróneamente a esta carta, véase la nota a las cartas a José de Ciria y Escalante. No pueden identificarse con seguridad los poemas mencionados en el último párrafo. Quizá sean los tres que reproducimos en las páginas 74-78.

A Manuel de Falla (6)

[Dibujo: tres limones]

[agosto 1923] *

¡Queridísimo Don Manuel!

¿Se hace por fin el azulejo a Glinka?

Mucho me gustaría tener noticias afirmativas de este asunto tan agradable y tan justo; yo por mi parte estoy dispuesto a *tender un puente de oro* para que se realice. (Contéstame *sí* o *no,* como Cristo nos enseña).

No se puede usted imaginar cómo le recuerdo cuando toco la guitarra y quiero *sacar* ¡a la fuerza! su maravilloso «Homenaje a Debussy», del que no consigo más que las primeras notas. ¡Es verdaderamente gracioso! Mi madre se desespera y esconde la guitarra en el sitio más raro de la casa. ¿Ha pensado usted mucho de lo *nuestro*? Creo que debemos resolver en seguida el dichoso trío y el final, para que usted se ponga a trabajar tranquilamente.

He recibido carta de un poeta futurista, Adriano del Valle, y me encarga lo salude a usted, llamándole «ese suspiro de Boabdil diluido en música que es Falla.» Como verá usted la cosa es graciosísima. Dígale de mi parte a María del Carmen que ella es «suspiro de la reina Zelima diluido en repujados», para que no se disguste.

Muchos recuerdos de toda mi familia, saludos a su hermana, y usted sabe lo que le quiere su devotísimo poeta

FEDERICO

Estoy ordenando para publicar el «Poema del cante jondo». Si piensan lo de Glinka y el Murciano [Francisco Rodríguez Murciano], no dejen de avisarme en seguida.

83

[Dibujo: «Paseo de una avispa por mi *cualto*»]

* Gallego Morell (*op. cit.*, p. 108) fecha esta carta en agosto de 1922, pero es del verano siguiente, como comprueba la fecha de la respuesta de Falla (18 agosto 1923). Agradezco a Mario Hernández el haberme enseñado una fotocopia de la carta de Falla.

A Melchor Fernández Almagro (14)

[Dibujo: Mariana Pineda]

[Asquerosa, septiembre 1923] *

Queridísimo Melchorito:

Marianita, en su casa de Granada, medita si borda o no borda la bandera de la Libertad. Por la calle pasa un hombre vendiendo «alhucema fina de la sierra» y otro «naranjas, naranjitas de Almería», y los árboles recién plantados de la Placeta de Gracia saben ya, por los pájaros y por el pino del seminario, que un romance trágico y lleno de color ha de dormirlos en las noches del plenilunio turquesa de la vega. ¡Si vieras qué emoción tan honda me tiembla en los ojos ante la *Marianita de la leyenda*!... Desde niño estoy oyendo esa estrofa tan evocadora de

Marianita salió de paseo
y a su encuentro salió un militar...

Vestida de blanco, con el cabello suelto y un gesto melodramático hasta lo sublime, esta mujer ha paseado por el caminillo secreto de mi niñez con un aire inconfundible. Mujer entrevista y amada por mis nueve años, cuando yo iba de Fuente Vaqueros a Granada en una vieja diligencia, cuyo mayoral tocaba un aire salvaje en su trompeta de cobre. Si tengo miedo de hacer este drama, es precisamente por *enturbiar* mis recuerdos delicadísimos de esta viudita rubia y mártir.

¿Qué me aconsejas tú? Yo quiero hacer un drama *procesional...*, una narración *simple* y *hierática,* rodeada de evocaciones y brisas misteriosas, como una vieja madonna con su arco de querubines.

Una especie de cartelón de ciego *estilizado.* Un *crimen,* en suma, donde el rojo de la sangre se confunda con el rojo de las cortinas. Mariana, según el romance y según la poquísima historia que la rodea, es una mujer pasional hasta sus propios polos, una *posesa,* un caso de amor magnífico de andaluza en un ambiente extremadamente *político* (no sé si me explico bien). Ella se entrega al amor por el amor, mientras los demás están obsesionados por la Libertad. Ella resulta mártir de la Libertad, siendo en realidad (según incluso lo que se desprende de la historia) *víctima* de su propio corazón enamorado y enloquecido.

Es una Julieta sin Romeo y está más cerca del madrigal que de la oda. Cuando ella decide morir, está ya muerta, y la muerte no la asusta lo más mínimo. El último acto ella estará vestida de blanco y toda la decoración en este mismo tono. Ni el romance ni la historia me vedan en absoluto que yo piense así... Es más: mi madre me ha dicho que estas cosas se susurraron por Granada. Me gustaría que conocieras el argumento y la división de las escenas. Escríbeme en seguida. Mañana me voy a Granada. Dirige allí tus cartas.

Vi lo que D'Ors dice de mí. ¡Muy gracioso!

Adiós. Recibe un abrazo de tu poeta y amiguísimo

FEDERICO

Que me contestes largamente.
En Granada te giraré.

* Escrita antes del 11 de septiembre, fecha de la contestación de M. F. A. (publicada en Antonina Rodrigo, *García Lorca en Cataluña* [Barcelona: Planeta, 1975], p. 65).

A Manuel de Falla (7) *

[Dibujo: dos limones]

Queridísimo Don *Manué*:

¿Cómo siguen ustedes? Aquí todos perfectamente. Los amigos me preguntan con gran cariño por usted. El *antro tenebroso* tiene una bonita luz estos días, pero una fea gente. Ahí le mando esta carta que ha escrito el tutor de Juan Vicéns sobre el asunto del *Retablo*. Contésteme en seguida con lo que se le ocurra de esto, pero yo creo seguro su estreno en Zaragoza.

Ya le escribiré dentro de varios días dándole noticias.

Anoche y todas las noches entra Lola a verme en mi cuarto, y el marqués riñe con el calesero. Cada día me voy enamorando más de vuestra linda comedianta. ¿Y usted? Yo espero que sí. Adiós, querido Don Manuel, salude a María del Carmen y reciba un abrazo de vuestro amigo que mucho os quiere y respeta.

FEDERICO

Como ve, le envío *cartas* y *telegramas*.
Aquí están los amigos que le van a saludar.
JUAN VICÉNS
LUIS BUÑUEL
que ha comprado un automóvil y lo pone a su disposición.
Con el afecto y la admiración de siempre
J. MORENO VILLA

* La carta no está fechada. Sin explicación ninguna, Gallego Morell la fecha en 1926 (*op. cit.*, p. 112), pero podría datar de 1923 o de 1924, años en que Federico colabora con Falla en *La comedianta*. Cf. la carta inédita de Falla a Federico del 9 de diciembre de 1923: «¿Qué tal marcha el drama? Estoy deseando conocer lo que lleva Vd. hecho» (archivo de la familia García Lorca). La carta está redactada, aparentemente, en la Residencia de Estudiantes y está firmada por Luis Buñuel, lo cual nos permite pensar en una fecha más temprana que la que sugiere G. M. Buñuel se gradúa en la Facultad de Filosofía y Letras de la Universidad de Madrid en 1924, y se marcha a París el año siguiente (J. F. Aranda, *Luis Buñuel, biografía crítica*, Barcelona, 1975, pp. 34, 43 y 45). El estreno de *El retablo de Maese Pedro* tuvo lugar en París el 25 de junio de 1923 (Manuel Orozco, *Falla. Biografía ilustrada*, Barcelona, 1968, p. 145). Quedan por aclarar las gestiones en torno a su proyectado estreno en Zaragoza. Las palabras en cursiva son de Lorca.

A Melchor Fernández Almagro (15)

[*Fragmento*]

[Granada, octubre 1923]

Queridísimo Melchor: Estoy entre *tareas* literarias agradables y desagradables. Trabajo casi todo el día en la obra poemática que hago con Falla y creo que pronto estará terminada para poder seguir mi Marianita. Quisiera publicar mis Suites, pues estoy que *ya no puedo más*. Escríbeme contándome cosas. Quiero también terminar mi poema «Recreo del niño loco y el pájaro sin nido»...; en fin, ¡cuántas cosas hay que hacer!

Te agradezco tu artículo, ¡no te puedes imaginar! *.

La suite del Regreso es larga, pero te mando los espejillos más delicados que tiene **.

> *Yo vuelvo*
> *por mis alas.*
> *¡Dejadme volver!*

Quiero morirme siendo
amanecer.

¡Quiero morirme siendo
ayer!

Yo vuelvo
por mis alas
¡dejadme retornar!

Quiero morirme siendo
manantial.

Quiero morirme fuera
de la mar.

—

Quiero volver a la infancia
y de la infancia a la sombra.

¿Te vas ruiseñor?
Vete.

Quiero volver a la sombra
y de la sombra a la flor.

¿Te vas aroma?
Vete.

Quiero volver a la flor
y de la flor
a mi corazón [...]

* El artículo de M. F. A. es, según Gallego Morell (*op. cit.*, p. 59), «El mundo lírico de García Lorca», *España,* Madrid, 13 de octubre de 1923.

** Gallego Morell imprime como *un solo poema* estas dos composiciones de la *Suite del regreso,* y, como hace casi siem-

pre en *Cartas, postales, poemas y dibujos,* omite los blancos
entre una estrofa y otra. Es evidente que el segundo de los
«espejillos» que Lorca manda a M. F. A. no termina con el
verso «a mi corazón». A juzgar por el libro de G. M., y por
mis fotocopias, parte de esta carta se ha perdido: falta la
tercera hoja y quizás otras. G. M. no sólo no menciona esto,
sino que, en su transcripción, introduce la firma «Federico»
al final de la segunda hoja.

A Antonio Gallego Burín (4)

[Membrete:] Residencia de Estudiantes. Pinar, 17, Madrid

[¿primavera de 1924?] *

Queridísimo Antonio:

Después de tanto tiempo silencioso hoy te envío un
hilito de palabras. Es verdad que no escribo a nadie
pero yo sé que todos me dispensáis porque en el fondo
reconocéis que os quiero como siempre.

Me da cierta *fatiga* escribirte para pedirte un gran
favor… pero ¿a quién me voy a dirigir que me atienda
con mejor gusto que tú?

Tengo el proyecto de hacer un gran romance teatral
sobre Marianita Pineda y ya lo tengo resuelto con gran
alegría de Gregorio y Catalina que ven las posibilidades de una *cosa fuerte.* Mi pensamiento es poner en
escena los últimos días de la gran mujer granadina.

Yo sé que tú te dedicas a estudiar (claro que de otra
manera) esta figura y yo quisiera que tú dieses noticias
de ella con objeto de hacer un poco [de] ambiente.

Mis personajes son, a más de ella, Pedrosa, Sotoma-
yor, y las monjas de Recogidas. Es una cosa muy nueva
lo que yo he pensado, y estoy contento. Creo que el año
que viene se podría estrenar. Te ruego un absoluto silencio. Tú sabes lo que pasa con estas cosas.

Melchorito, que está encantado con mi idea, me ha dado notas interesantes, pero yo creo que eres tú el que puedes proporcionarme datos sobre este asunto.

Antonio, que conste que si tú piensas una cosa sobre Mariana yo no quiero descacharrarte el asunto, además que son cosas distintas. Yo sólo quiero una biografía de ella y algunos datos sobre la conspiración. Como tú comprenderás, el interés de mi drama está en el carácter que yo quiero construir y en la anécdota, que no tiene que ver nada con lo histórico porque me lo he inventado yo. Yo quiero que tú me guíes en lo referente a Pedrosa, y que me digas dónde puedo enterarme del estado de Granada en aquella época.

Yo, con varias *notas* tengo bastante, lo esencial está ya pensado... pero no quiero tirarme planchas ¿comprendes?

Antonio no sabes con qué alegría espero tu carta pues estoy deseando de ponerme a trabajar.

Recuerdos a Eloísa, besos al niñito y un gran abrazo de tu amigo preguntón.

FEDERICO (PICO)

* Es plausible la fecha sugerida por Gallego Morell (primavera de 1924), ya que, en efecto, Lorca había consultado a M. F. A. sobre el mismo proyecto (cf. la carta 14 a M. F. A. de septiembre de 1923).

A Gregorio Prieto (1) *

[¿Fragmento?]

Gregorio, desde esta magnífica vega granadina te envío un abrazo y mi más sincero recuerdo.

Estoy rodeado de chopos, de ríos y de cielo claro y transparente. Empiezo a trabajar. Esta carta es únicamente un saludo. Yo espero que si me contestas pronto podremos charlar este verano.

* Este fragmento, y la carta siguiente, son posteriores al 7 de abril de 1924, fecha en que Gregorio Prieto conoció a García Lorca. (Véase G. P., «Historia de un libro», en *Cuadernos Hispanoamericanos*, julio-agosto de 1949, p. 19.)

A Gregorio Prieto (2)

Queridísimo Gregorio. Sirva esta tarjeta de fe notarial del cariño, lealtad, y admiración que te tengo. Un abrazo muy grande de Federico.

[Dibujo de una mujer que dice:] Contéstame pronto, Gregorio.

Esta es mi musa.

A Manuel de Falla (8)

[M: 29 noviembre 1923]

Queridísimo Don Manuel:

Recibirá V. una carta del poeta Moreno Villa pidiéndole colaboración para unos folletos que se piensan publicar en Madrid, en los cuales se publicarán cosas mías. Este poeta me había rogado que le hablase a V., y me lo dijo la noche antes de su partida. Yo, naturalmente, se me olvidó, por haberme levantado tan temprano, y cuando regresé a la casa me dio fatiga decirle que había olvidado de aquella manera su recado y le dije que lo había hecho y que V. no me había dado respuesta ninguna (esto es lo que debía decir), ni que sí ni que no. Ahora V. contesta a ellos lo que quiera, pero desde luego yo le ruego que por lo menos dé su nombre para anunciarlo, pues el folleto no corre prisa y V. tendría tiempo de hacerlo. Esto se recibiría con alegría inmensa por parte de todos.

91

Adiós, Don Manuel. Salude a María del Carmen y ahí va un abrazo lleno de admiración, respeto y cariño de su colaborador

FEDERICO

¡No nos olvide!
¡Homenajes de admiración!

A José María Chacón y Calvo (2)

[*Fragmento*]

[¿julio? de 1924] *

«...por tu bondad, por tu corazón y por esa cosa dulce y tierna que hay en ti..., un no sé qué de renunciamiento y despedida, un sentimiento de horizonte melancólico por el cual ya nunca saldrá el sol, ni la luna de la tierra, un gesto de flor delirante y extática en la frescura lírica del cañaveral cubano. Sí, José María, tú eres más bueno que nadie, y más niño que nadie...»

* Gutiérrez Vega entresaca este fragmento de entre «las cartas, tarjetas y dibujos de García Lorca a Chacón que permanecen inéditas en su archivo». ¿Cuál será el paradero de ese archivo, que estaba, en 1968, en el piso madrileño de Chacón y Calvo? La respuesta de Chacón y Calvo a esta carta (archivo de la familia García Lorca) lleva fecha del 9 de julio de 1924.

A Melchor Fernández Almagro (16)

[Membrete:] Residencia de Estudiantes. Pinar, 17. Madrid

[Asquerosa, fines de julio 1924] *

Queridísimo Melchorito:

Ya estamos en el campo, después de haber pasado unos días en Granada acompañando a Juan Ramón y Zenobia. Estos han estado verdaderamente satisfechos y maravillados de Granada. Juan Ramón ha dicho co-

92

sas agudísimas de la ciudad y ha trabado gran amistad con mi familia, pues ha pasado días enteros en casa. Sobre todo está entusiasmado con mi hermana Isabelita, a la que ya ha escrito una carta desde Moguer.

Zenobia estaba satisfechísima, la pobre, de ver al melancólico poeta lleno de alegría.

Juan Ramón me ha dicho que él tiene necesidad de verme constantemente en Madrid y me ha lanzado tristes y solapadas quejas de mi actitud respecto a él; ¡y tiene razón!

Ahora que le he tratado íntimamente he podido observar qué profunda sensibilidad y qué cantidad divina de poesía tiene su alma. Un día me dijo: «Iremos al Generalife a las cinco de la tarde, que es la hora en que empieza el *sufrimiento* de los jardines.» Esto lo retrata de cuerpo entero, ¿verdad? Y viendo la escalera del agua dijo: «En otoño, si estoy aquí, me muero.» Y lo decía convencidísimo. Hemos charlado largo rato sobre las hadas y me he guardado muy bien de enseñarle las haditas del agua, pues esto no lo hubiese podido resistir. Ya te contaré más cosas y los descubrimientos emocionantes que he hecho en el mundo fantástico de Granada.

Tengo una pesadilla con Pepe Ciria. Cada día me acuerdo más de él. ¡Qué lástima de amigo! ¡Y qué difícil olvidarlo! Pero yo en secreto te digo que no ha muerto... no sé por qué..., pero no me cabe la menor duda de que no ha muerto.

Melchor, contéstame en seguida. Cuéntame cosas de Madrid y los amigos, del banquete de Claudio [de la Torre], de todo. Saluda a tu simpatiquísima familia.

Un abazo.

Federico

Estoy en el campo, ¿eh?
Apeadero de San Pascual.

* Posterior al 19 de julio de 1924, fecha en que el cisne de Moguer le escribe a Isabel García Lorca, aludiendo a la todavía reciente visita (véase J. R. J., *Cartas, Primera selección,* ed. Francisco Garfias, Madrid, 1962, pp. 266-269).

A Melchor Fernández Almagro (17)

[Membrete tachado: Residencia de Estudiantes, etc.]

[Granada, segunda mitad de agosto 1924] *

Queridísimo Melchorito:

¡Con cuánto retraso tu carta!… Pero más vale tarde que nunca. ¿Te ha gustado Burgos? ¡Qué dulce recuerdo, lleno de verdad y de lágrimas me sobrecoge cuando pienso en Burgos…! ¿Te choca? Yo estoy nutrido de Burgos, porque las grises torres de aire y plata de la catedral me enseñaron la *puerta estrecha* por donde yo había de pasar para conocerme y conocer mi alma. ¡Qué verdes chopos! ¡Qué viejo viento! ¡Ay, torre de Gamonal y sepulcro de San Amaro!, y ¡ay, mi niño corazón!… mi corazón como nunca jamás estará de vivo, lleno de dolor y gracia eterna.

Tu tarjeta de Burgos ha coloreado mi viejo estigma doloroso y ha hecho brotar de mi tronco resina de luz y nostalgia.

Tengo un piadoso recuerdo para [Martín Domínguez] Berrueta (que conmigo se portó de una manera encantadora) pues por él viví horas inolvidables que hicieron mella profunda en mi vida de poeta.

Pero ya no tengo tiempo de pedirle perdón…, aunque me sonríe desde lejos… Dios le habrá perdonado su infantil pedantería y su orgullillo a cambio de su entusiasmo, que, aunque fuera (y esto no se sabe) *interesado,* era, al fin y al cabo, *entusiasmo,* ala del Espíritu Santo.

Estos días los he pasado mal, porque yo quería dedicarle a nuestro Ciria un tierno y *auténtico* recuerdo,

94

pero por más que luchaba no conseguía (y esto es raro en mí) que la fuente, ¡mi fuente!, manara por él. Ayer tarde estaba en una oscura y fresca alameda y le dije: «Pepe, ¿por qué no quieres que te evoque?» Y sentí que mis ojos se llenaban de lágrimas. Entonces, y tras diez días de esfuerzo continuo, conseguí en un instante parir el soneto que te envío.

Pero me parece que debemos *comulgar* en Ciria y olvidarlo aparentemente. Hay que *hacerlo de uno* y sonreír sin saber su nombre. ¿Tú te acuerdas constantemente de que tienes ojos? Y, sin embargo, toda la vida nos entra por ellos. Hagamos de nuestros muertos *sangre nuestra* y olvidémoslos.

De cuando en cuando se me recrudece una extraña alegría que no había sentido jamás. ¡La alegría tristísima de ser poeta! Y nada me importa. ¡Ni la muerte!

Si tú me contestas en seguida, yo te enviaré poemas y dibujos. Dentro de días, Falla el angélico pondrá sus manos sobre mi operita. Espero que nos divertiremos mucho, pues el asunto tiene juego y gesto, que es lo necesario en todo poema teatral.

Adiós, escríbeme pronto. Un abrazo para ti y muchas cosas a la gente de tu casa.

FEDERICO

[Dibujo: tres flores]

EN LA MUERTE DE JOSE DE CIRIA Y ESCALANTE

¿Quién dirá que te vio? ¿y en qué momento?
¡Qué dolor de penumbra iluminada!
Dos voces suenan; el reloj y el viento,
Mientras flota sin ti la madrugada.

—

95

Un delirio de nardo ceniciento
invade tu cabeza delicada.
¡Hombre! ¡Pasión! ¡dolor de luz! Memento.
¡Vuelve hecho luna y corazón de nada!

—

Vuelve hecho luna: Con mi propia mano
Lanzaré tu manzana sobre el río
turbio de rojos peces de verano.

—

Y tú arriba en lo alto, verde y frío
¡Olvídate! y olvida el mundo vano
Delicado Giocondo. ¡Amigo mío!

Este soneto, naturalmente, tiene un gran sentimiento contenido y extático. Yo estoy contento. Aunque tendré que limarlo un poco. ¿Es digno de Ciria? Dime la verdad. Yo quiero dedicarle tres o cuatro y quiero que sean sonetos porque el soneto guarda un eterno sentimiento que no cabe en otro frasco más que en este aparentemente frío. Dime qué piensas de esto.

Adiós, y consuélate pensando cómo nuestro amigo está con Dios en el ámbito divino del aire y el cielo inacabable. ¡Muera la ciencia fría! ¡Viva la ciencia mística y el amor y la amistad!

* Lorca contesta a la carta de M. F. A. del 16 de julio de 1924 (archivo familiar). Pero esta carta de Lorca podría ser posterior al 14 de agosto, fecha en que M. F. A. le escribe: «...aún no me has mandado lo de Ciria...» (¿se refiere al soneto o al dinero con que Lorca contribuiría para la publicación de las poesías de Ciria [i.e. *José de Ciria y Escalante*, Madrid, 1924]?). Ciria murió en Madrid el 4 de junio de 1924. La operita en que colabora con Falla es *La comedianta*.

A Melchor Fernández Almagro (18)

[Tarjeta postal: Lanjarón]

[M: Lanjarón, 17 septiembre 1924]

Sr. D. Melchor Fernández Almagro. Administración del
  Correo Central. Madrid

Melchor:

¡Qué admirable sitio!

Vivo en una continua sorpresa. Mañana me voy a
Granada y te giraré eso.

Debes venir a este paraíso en cuanto puedas.

He encontrado curiosísimos cuentos y romances.

Creo que pronto te veré, pues ya avisé a la Residencia para que me reservaran el cuarto.

Adiós. Muchas cosas a tu familia. Recuerdos de la
mía y un abrazo de

FEDERICO

(Paquito [García Lorca] no te escribe porque está
cautivado por una exquisita y feroz malagueña y anda
con ella por esos campos.)

Muchísimos recuerdos a todos los amigos.

A Melchor Fernández Almagro (19)

[Granada, septiembre 1924] *

Queridísimo Melchorito:

Estoy en Granada donde recibo tu carta. No sabes
lo que me agrada que te hayan gustado mis poemas,
sobre todo el romance gitano; si tú me contestas pronto

yo te enviaré un *romance sonámbulo* que he terminado. Me gusta Granada con delirio pero para vivir en otro plan, vivir en un carmen, y lo demás es tontería; vivir cerca de lo que uno ama y siente. Cal, mirto y surtidor.

Estoy un poco triste porque estoy separado de vosotros, de ti en particular, y de Pepín; vuestras cartas son mis alegrías. Aquí en Granada ya no tengo amigos, todos son nuevos, y me miran en la Alhambra como un forastero un poquitín loco que da vueltas y vueltas por el infinito patio de Lindaraja sin querer encontrar la salida (que no la debía tener).

No sabemos dónde ir, porque mi padre está mal de los nervios y vive tristísimamente creyendo que va a morir de un momento a otro, sin tener lesión alguna, cosa que, como es natural, nos produce malestar y malhumor.

Yo empezaré mañana a trabajar en serio, aunque cada día que pasa quisiera no haber escrito nada y poder empezar limpio de rima y ritmo.

¡Que me contestes pronto!

Federico

CANCIONCILLA

*(para ser recitada junto al oído
de una jovencita)*

> No quise.
> No quise decirte nada.
> Vi en tus ojos
> dos arbolitos locos.
> De brisa, de risa y de oro.
> ¡Se meneaban!
> No quise.
> No quise decirte nada.

CANCION DEL ARBOLÉ

Sin saber por qué
lloro ante las hojas
del arbolé.

—

Caña de voz y gesto
una vez y otra vez
tiembla sin esperanza,
en el aire de ayer.

—

La niña suspirando
lo quería coger;
Pero llegaba siempre
un minuto después

—

¡Ay sol! ay luna luna!
Un minuto después!
Sesenta flores grises
enredaban sus pies.

—

¡Mira cómo se mece
una vez y otra vez!
¡Mira qué blanca brisa!
en el aire de ayer!

—

Sin saber por qué
lloro ante las hojas
del arbolé.

CANCION

¡Ay qué trabajo me cuesta
quererte como te quiero!

—

Por tu amor me duele el aire
el corazón...
y el sombrero.

¿Quién me compraría a mí,
este cintillo que tengo
y esta tristeza de hilo
blanco para hacer pañuelos?

¡Ay qué trabajo me cuesta
quererte como te quiero!

CANCIONCILLA

En el gris
el pájaro Griffon
se vestía de gris.

Y la niña quiquiriquí
perdía su blancor
y forma allí.

Para entrar en el gris
me pinté de gris.
¡Y cómo relumbraba
en el gris!

* Gallego Morell fecha esta carta en septiembre de 1923
(*op. cit.*, p. 56). Mario Hernández (*Romancero gitano*, ed. cit.,
pp. 163-4) la pospone en un año «por la fecha del primer

poema que al final de la carta copia el poeta: 'Canción', luego 'Es verdad' en el libro de *Canciones*. El manuscrito del poema, tal como se conserva en el archivo familiar, lleva la fecha de '22 de agosto 1924'. Por otro lado, la carta alude a otra anterior que ha debido perderse, pues no se sabe a qué "romance gitano" se refiere el poeta. Finalmente, 'cal, mirto y surtidor' nos sitúa en un ámbito próximo al de 'La monja gitana': 'Silencio de cal y mirto'...».

A Melchor Fernández Almagro (20)

[Estampa pegada: La cenicienta]

[Granada, otoño 1924] *

¿Y qué? ¿y qué? ¿Cuánto tiempo hace que está el príncipe colocando el zapato a Cenicienta? El día que se levante del cojín se habrá acabado el mundo.

¿Cuál es el último rincón? Pues allí quiero estar a solas con lo único que quiero.

Mi poesía es un pasatiempo.

Mi vida es un pasatiempo.

Pero yo no soy un pasatiempo.

El mundo es una espalda de carne oscura (negra carne de mulo viejo). Y la luz está al otro lado.

Yo quisiera quedarme desnudo como un cero y *contemplar*.

Tengo ganas de viajar largamente, pero nunca al tonto y misterioso Japón ni a India sucia y recién despierta eternamente. Quiero viajar por Europa, donde se saca la moneda que se echa al fondo del amor.

¿Tú eres Melchorito? ¿Sí? No lo sabía. No tengo ni un solo amigo. Pero esto me llena de satisfacción.

Ahora estoy sin proyectos... ¡Sí!... Pero trabajo intensamente. He hecho un libro de diálogos y otro de poesías. Una pequeña historia natural, una guirnalda de frutos por los cuales van insectos.

Y hago ahora una obra de teatro grotesca:

«Amor de Don Perlimplín
con Belisa en su jardín»

Son las aleluyas que te expliqué en Savoia, ¿recuerdas? Disfruto como un idiota. No tienes idea.

Pero luego estas cosas *son malas*. ¿Pero es que no lo sabes? Muy malas. Si yo tuviera fe en ellas..., otro gallo me cantaría..., porque hoy podría ir a Italia, que es mi sueño, y no puedo porque mis padres están enfadados.

En cuanto termine este trabajo veré la manera de ganar mi vida. Si puedo, pienso en unas oposiciones, y si no... ¡ya veremos! Dinero creo que no me ha de faltar mientras esté fuerte.

Se presenta ahora la vida bastante *intensa* para mí.

Yo siempre estaré encantado si me dejan ese delicioso e ignorado último rincón, fuera de luchas, putrefacciones y tonterías; último rincón de azúcar y picatostes, donde las sirenas cogen las ramas de los sauces y el corazón se abre a punta de flauta. Granada es horrible. Esto no es Andalucía. Andalucía es otra cosa... está en la gente... y aquí son gallegos.

Yo, que soy andaluz y requeteandaluz, suspiro por Málaga, por Córdoba, por Sanlúcar la Mayor, por Algeciras, por Cádiz auténtico y entonado, por Alcalá de los Gasules, por lo que es *íntimamente* andaluz. La verdadera Granada es la que se ha ido, la que ahora aparece muerta bajo las delirantes y verdosas luces de gas. La otra Andalucía está viva; ejemplo, Málaga.

Adiós, Melchorito. Como sé que no me quieres, no me contestes, porque te molestará; pero yo siempre te

102

recuerdo y guardo tu sitio en mi corazón, lleno de poesía hasta los bordes.

FEDERICO

* La carta está encabezada por una estampa de la Cenicienta que, según Gallego Morell, era un anuncio del «Chocolate Amatller, Barcelona» (*op. cit.*, p. 68). G. M. fecha la carta en otoño de 1924, pero en aquel entonces M. F. A. escribía repetidamente a Lorca reprochándole por su «prolongado silencio», lo que no casa con el último párrafo de esta carta. Es más probable que date del verano de 1925, época en que García Lorca componía sus diálogos (cf. la carta 21 a M. F. A. y nota). Entre estas dos cartas hay otras coincidencias, v. gr.: 1) el deseo por parte de Lorca de quedarse «desnudo como un cero y contemplar» (carta 20) y su satisfacción por la «poesía pura. *Desnuda*» que representan los diálogos (carta 21); 2) el sentirse abandonado por Melchor. Entre las cartas de M. F. A. conservadas por la familia García Lorca no hay ninguna del verano de 1925.

A Angel Barrios (2)

[Membrete: Hotel Málaga. Calefacción. Teléfono M 2739. Ascensor. Cuartos de baño y Salón de lectura. Encima del Credit Lyonnais. Calle de Alcalá, 8. Madrid, --- de -------- de 192--]

[¿otoño de 1924?] *

Queridísimo Angel:

Como no te he visto, tú no te acuerdas de nadie, y me parece muy mal que no me hayas mandado entrada para tu estreno, pero yo me gastaré el dinero y tendré el gusto de aplaudirte.

Adiós, olvidadizo,
FEDERICO GARCÍA LORCA

* Doy la fecha propuesta, sin explicación, por Gallego Morell.

A Constantino Ruiz Carnero

[Madrid, 24 diciembre 1924] *

Querido Constantino:

Me entero de que en Granada no se ha recibido como corresponde al insigne don José Ortega Gasset y al genial novelista Baroja y lamento con toda mi alma lo ocurrido, como buen granadino, pues hoy en Madrid se habla de nuestra querida ciudad en términos desfavorables, pero desgraciadamente exactos.

Ha sido un triste y estúpido espectáculo, del que protesto enérgicamente en nombre de la belleza de Granada.

Un abrazo de tu amigo

FEDERICO GARCÍA LORCA

* Según Gallego Morell (*Cartas, postales...*, ed. cit., pág. 159), de quien copio este texto, la carta «fue publicada en el diario *El Defensor de Granada* correspondiente al 24 de diciembre de 1924, junto a otras dos cartas en el mismo sentido dirigidas al director de dicho diario por Melchor Fernández Almagro y el escultor Juan Cristóbal».

A su familia (1)

[Madrid, noviembre 1924] *

Queridísimos todos:

¿Habéis recibido dos tarjetas mías? Estoy muy contento, contentísimo, porque ¡esto marcha! Mi «Mariana Pineda» ha tenido un éxito que yo no me esperaba y «La zapatera prodigiosa» ha entusiasmado por su novedad. «Mariana Pineda», le estoy dando los últimos toques. [Gregorio] Martínez Sierra está entusiasmado como *empresario,* pues dice que la obra puede tener un éxito como el *Tenorio* de Zorrilla. Ayer comí en casa de [Eduardo] Marquina y me dijo *que se cortaba la mano* derecha, con la que escribe, si esta obra no era un clamor en todos los países de habla española. [Enrique Díez-] Canedo, [Pedro] Salinas y Melchor [Fernández Almagro] hace días la oyeron y les causó una profunda impresión. Parece ser que el Directorio (agravado por el Manifiesto de Blasco Ibáñez y los sucesos de Vera) no la deja poner, pero nosotros vamos a empezar a ensayarla, para tenerla preparada en la primera ocasión, que será dentro de este año, según todos creen. Desde luego, ponerla inmediatamente es imposible y vosotros lo comprenderéis, pues aunque la dejaran poner en escena, en el teatro *se armaría un cisco* y lo cerrarían, viniendo, por tanto, la ruina del empresario, cosa que nadie quiere. Las circunstancias están de manera imposible, pero nosotros vamos a hacer las decoraciones, trajes, ¡todo!, y tenerla estudiada. Yo creo, y todos creen lo mismo, que este año se verá puesta; y el éxito de la obra, me he convencido de que no es *ni debe,* como quisiera don Fernando [de los Ríos], ser político, pues es una *obra de arte puro,* una tragedia hecha por mí, como sabéis, sin interés político y yo quiero que su éxito sea un éxito *poético* —¡y lo será!—, se represente cuando se represente.

Y si no lo es, que no lo sea: que obra de arte será siempre. Mis amigos creen lo mismo.

«La zapatera [prodigiosa»] tengo que terminarla bien, y se pondrá en seguida, pues la [Catalina] Bárcena tiene uno de sus mejores papeles. Así es que *se ponen de seguro las dos cosas.* Martínez Sierra lo dice a todos los vientos, y yo, además, he enviado a Marquina para que le sonsaque; y Marquina me ha dicho que no tengo nada que temer ni dudar de él, pues le conviene como empresario y esto basta.

Estoy satisfecho. Me voy haciendo mi vida y mi nombre de la manera más sólida y pura. Si en el teatro *pego,* como creo, todas las puertas se me abrirán de par en par y con alegría. El Ateneo de Barcelona me invita a dar una conferencia y lectura de versos, pagándome viajes, gastos, y algún dinero que todavía no saben. El Ateneo de Murcia, también. A Barcelona han llamado a Machado, Pérez de Ayala, y a mí. ¿Y el automóvil? ¡Qué ganas tengo de pillarlo! Dentro de días estaré con vosotros. Va [Francisco A. de] Icaza a dar una conferencia. Paquito [García Lorca] debe acompañarlo. Es un viejecito y hay que tratarlo bien. Paquito debe ir a la estación y, aunque le dé algún latazo, debe perdonárselo, en atención que se porta muy bien conmigo. ¡Os quiero! Escribirme pronto y perdonar mi tardanza. Abrazos y besos de vuestro

FEDERICO

* Según Pablo Luis Avila (artículo citado), se puede situar esta carta «fra la seconda metà di novembre del '24 e i primi di gennaio del '25, per quanto segue: i fatti di Vera [di Bidasoa, Navarra] a cui si riferisce il monoscritto, avvennero il 7 novembre del '24; dello stesso mese è il 'folleto' di Blasco Ibáñez a cui allude Lorca. D'altra parte Federico scrive ai suoi che sta ultimando la *Mariana* e che entro pochi giorni sara di ritorno a casa... Sappiamo inoltre che propio a Granada, 18 gennaio, fu ultimata la *Mariana Pineda*».

A Jorge Guillén (1)

[Tarjeta postal. La Granja. Calle de Infantes]

[1925] *

Sr. D. Jorge Guillén. Almagro, 31, Madrid

Un abrazo cariñoso desde La Granja.

Saludos a tu mujer y besos a Teresita y al niño pequeñito.

Chopo y Torre.

Sombra viva
y sombra eterna.

Sombra de verdes voces
y sombra exenta.

Frente a frente piedra y viento
sombra y piedra.

Adiós. Hasta pronto. Aunque me gusta múcho Segovia, tendré que marchar a Madrid, porque el dinero se me acaba. La Granja no me ha gustado lo que yo me figuraba y quería que me gustase.

FEDERICO

A Salinas no le escribo porque ya se habrá marchado de Madrid.

* El matasellos parece indicar 25 FEB 25 (el nombre del mes es casi ilegible).

A Manuel de Falla (9)

[Telefonema. Granada a Sevilla, 1925]
[¿30 de enero? 1925]

Manuel Falla, Hotel Royal, Plaza Nueva

FELICITAMOSLO TODA FAMILIA TRIUNFO COMPLETO *
RECUERDOS CARMEN

FEDERICO

* Telegrama de 1925, de día y mes inciertos. Es posible que la felicitación fuera por una representación del *Retablo de Maese Pedro* en Sevilla el 30 de enero de 1925. Sobre ella véase Manuel Orozco Díaz, *Falla, Biografía ilustrada* (Barcelona: Ediciones Destino, 1968), p. 144.

A Manuel de Falla (10)

[Tarjeta postal: Cadaqués, Sa Conca]

[después del 11 de abril 1925] *

Sr. Manuel de Falla. Antequeruela Alta, 11. Granada

Desde este admirable pueblo de Gerona le envío un abrazo a usted y a María del Carmen.

He pasado una magnífica Semana Santa con oficios en la catedral de Gerona y ruido de olas latinas.

¡Hasta pronto! ¡Salude a mi gente!

FEDERICO

Cariñosos saludos de SALVADOR DALÍ.

* No es de 1927, como escribe Gallego Morell (*op. cit.*, p. 113), sino que data de la primera visita de Federico a Cadaqués, en Semana Santa de 1925. Posterior al 11 de abril de 1925, Día de la Resurrección.

A José García Rodríguez

[Tarjeta postal]

[M: Cadaqués, 14 (abril 1925)]

José García Rodríguez. Residencia de Estudiantes. Pinar, 17. Madrid

Querido amigo: Unos días de plan estupendo, grandes excursiones por mar, y largas horas de tomar el sol. Estamos [ilegible].

Un abrazo

SALVADOR

Queridísimo Pepín: Todo el día frente al mar. Hemos hecho una admirable excursión al Cabo de Creus. Ya tenemos ganas de darte un abrazo y de *recrearnos* un poquito. Un abrazo

FEDERICO

A Manuel de Falla (11)

[Tarjeta postal: Barcelona, Paseo de Gracia]

[¿abril de 1925?] *

Sr. Manuel de Falla. Antequeruela Alta, 11. Granada

Otro abrazo cordial desde Barcelona, donde tanto se le quiere y admira. Todo el mundo habla de usted con un gran entusiasmo que a mí me produce vivísima satisfacción.

¡Qué maravilloso barrio de la catedral!

Abrazos a los amigos y recuerdos a María Carmen.

FEDERICO

SALVADOR DALÍ

* El matasellos es ilegible. Si Lorca volvió de Cadaqués a Granada poco después del 19 de abril (Antonina Rodrigo, *op. cit.*, pp. 43-50) esta postal podría ser de la segunda semana de abril.

A Hermenegildo Lanz

[Tarjeta postal]

[Cadaqués, abril 1925]

Sr. D. Hermenegildo Lanz
Escuela Normal de Maestras
Granada

109

Un abrazo desde Cadaqués con toda cordialidad.
Saludos a Sofía.

FEDERICO

Saludos

SALVADOR DALÍ

A Fernando Vílchez

[Tarjeta postal: Figueras. Carretera del Castillo]

[abril 1925] *

Sr. Don Fernando Vílchez. Carmen de Alonso Cano
(Aljibetrillo) Granada

Querido Fernando Vílchez:
Después de la Vega, pocas cosas más bellas que el
Ampurdán. Por las mañanas y desde el automóvil, pa-
rece que todo acaba de nacer. Las brujas de los Pirineos
bajan a pedir a las sirenas un poquito de luz por Dios.
En este paisaje he oído por primera vez en mi vida la
verdadera y clásica flauta del pastor.
Un abrazo de

FEDERICO

Salude a su familia.

Mis saludos

SALVADOR DALÍ

* Estas impresiones del Ampurdán deben de datar de la primera visita de F. G. L., en abril de 1925. Sobre la foto de esta
postal Lorca señala con una flecha «piscina del Ampurdán»
y (al lado de un monumento fúnebre) «monumento a nuestro
paisano Alvarez de Acosta [?]».

110

A Jorge Guillén (2)

[Tarjeta postal: Cadaqués. Port-dichós]

[Cadaqués, abril 1925] *

Sr. D. Jorge Guillén, Almagro, 31, Madrid

Abrazos desde Cadaqués.
Saludos a tu familia y besos a los niños.

FEDERICO

Afectuosamente,

SALVADOR DALÍ

* El matasellos es ilegible, y Guillén (*Federico en persona*, p. 81) fecha esta postal en noviembre de 1925. Por la dirección de Guillén, tiene que corresponder a la primera visita de García Lorca a Cadaqués, en abril de 1925.

A Ana María Dalí (1)

[mayo 1925] *

Querida amiga: No sé cómo tengo cara para ponerte estos renglones. Me he portado como un sinvergüenza. Sinvergüenza. *Sinvergüenza*. SINVERGÜENZA. Los sinvergüenzas subirán así, hasta ponerse un sinvergüenza grande con el Citroën luminoso de la Tour Eiffel. Pero yo sé que tú me perdonarás. Todos los días he pensado escribirte. ¿Por qué no lo he hecho? Yo no lo sé. Me he acordado así más de ti, pero tú creerás que te he olvidado por completo. A la orilla del mar, bajo los olivos, en el comedor de tu casa, en la rambla de Figueras, y el comedor de tu casa bajo la divina pastora, tengo un portafolio de recuerdos tuyos y de risas tuyas

111

que no se pueden olvidar. Además, yo no olvido nunca. Podré no dar *señales de vida,* pero mi intensidad no varía (aquí una mosca ha puesto el punto a la i. Respetemos su opinión y ayuda).

¿Cómo está tu *tieta*? A tu hermano, por más que le pregunto, no recibo contestación a esta consulta. ¿Y tu padre?

Pienso en Cadaqués. Me parece un paisaje eterno y actual, pero perfecto. El horizonte sube construido como un gran acueducto. Los peces de plata salen a tomar la luna y tú te mojarás las trenzas en el agua cuando va y viene el canto tartamudo de las canoas de gasolina. Cuando todos estéis en la puerta de vuestra casa, vendrá el atardecer a poner encendido el coral que la virgen tiene en la mano. No hay nadie en el comedor. La criada se habrá marchado al baile. Las dos bailarinas negras de cristal verde y blanco bailarán la danza sagrada que temen las moscas, en la ventana y en la puerta. Entonces mi recuerdo se sienta en una butaca. Mi recuerdo como *crespell* y vino rojo. Tú te estás riendo y tu hermano suena como un abejorro de oro. Bajo los pórticos blancos suena un acordeón.

En la puerta de la Lydia está llamando la Bien Plantada, pero nadie le contesta. Los dos «bravos pescadores de Culip» están llorando con sus voces sentadas en sus rodillas. La Lydia se ha muerto. Yo quisiera oír en este momento, Ana Maric **, el ruido de las cadenas de todos los barcos que suben el ancla en todos los mares..., pero el ruido de los mosquiteros y del mar me lo impiden. Arriba, en el cuarto de tu hermano, hay un santo en la pared. Puig Pajades con su globito en la barriga baja la escalera. Estoy demasiado solo en el comedor. Pero no puedo levantarme. Un dibujo de Salvador me enreda los pies. ¿Qué hora será?... Yo quisiera comer ahora mismo un pedacito de *mona.* ¿Cómo se dice nublo?

Nub... Por la ventana pasan y pasan llorando amargamente esas mujeres polvorientas y enlutadas que van a ver al notario.

—

Así es que en vuestro comedor estoy, señorita Ana Maric. Mi recuerdo es siempre intenso. ¿Te acuerdas cómo te reías al verme los guantes rotos el día que íbamos a naufragar?

Espero que sabrás perdonarme. No seas vengativa. Mis hermanas no hacen más que preguntarme *que cómo eres.*

Da recuerdos a tu padre y *tieta.*

Para ti el mejor de mis recuerdos.

FEDERICO

¿Me contestarás?

* Lorca había regresado de su primera estancia en Cataluña alrededor del 19 de abril de 1925 (Antonina Rodrigo, *G. L. en Cataluña,* pp. 43-51). El que el poeta diga que se siente como un «sirvergüenza» (por haber dejado pasar tanto tiempo sin escribir) nos permite situar la carta en mayo, o incluso en junio. Según Ana María Dalí, ésta es la primera carta que recibió de F. G. L. (Rodrigo, *op. cit.,* pp. 53-4). Indispensable, para entender las peculiares imágenes y metáforas de esta carta y las siguientes, es la explicación de la propia Ana María Dalí (véase Rodrigo, *op. cit.,* pp. 53-9).

** En varias cartas Federico escribe Ana *Maric,* «que es como le gustaba llamarme»: carta de 17-6-81 de Ana María Dalí, a quien agradezco la noticia.

A José Bello (1)

[verano 1925]

Estoy en un cortijo de mi padre que se llama Daimuz donde nació el caballero imponderable de Paquito (...) Néstor me había hecho la maleta. ¡Qué maravilla! Cuan-

113

do llegué a casa, todo el mundo estaba asombrado. Todo tan dobladito y tan bien puesto. Me dijo: «Yo en esta maleta tuya metería una casa entera.»

Pepín, ¿qué recuerdo como un ave medio viva, medio soñada, te trae esta foto oriental de mi «vera efigie»? ¿Qué te recuerda cuando me hiciste la foto? ¿No ves en la blanca pared colgado tu reloj de pulsera? ¿No ves tu famosa manta a cuadros?

Dentro de muy poco me voy a Málaga a bañarme en la «má». Escríbeme allí. Por los desfiladeros de la amistad.

FEDERICO,
Director máximo del hospicio
de Valencia y subsecretario
general de expósitos

A José Bello (2)

[verano 1925]

…Así como las livianas e ingrávidas vegetaciones de salitre flotan en las viejas paredes de las casas en cuanto el dueño se descuida, así surge en ti la vocación literaria. Ese paseo por Castilla no es original en su *sustancia,* pero sí lo es por su *tono.* (A lo lejos, entre rosas de creta y olorosas de Egipto, la ciudad de Alejandría elevaría sus torres como tallos de cristal y sal rojiza.) Tu prosa primeriza e ingenua recuerda expresiones del epistolario que el gran poeta Lamartine dirigió a su madre. Esto es largo de explicar, pero es cierto.

Paquito va en Octubre a Oxford y se verá con Filín seguramente… Te manda abrazos… Yo me imagino a Paquito hecho un inglés, muy sobrio, muy elegante, con ese aire de pato silvestre que tienen aquellas extrañas gentes insulares. Tú y yo nos quedamos con España: macho cabrío, gallo, toro, auroras de fuego y patios con luz blanca, donde la humedad pone verdes emocionantes en las viejas paredes sin corazón. ¡Si vieras cómo está Andalucía! Para andar hay que hacer galerías en la luz de oro como los topos en su medio oscuro. Las sedas brillantes miguel-angelizan los culos de las mujeres opulentas. Los gallos clavan banderillas de lujo en el testuz del amanecer y yo me pongo moreno de sol y de luna llena...

FEDERICO

Leo en el matasellos de tu carta «Buitrago». ¡Buitrago! Me imagino una roca de plata rodeada de buitres. Por la carretera pasan boteros, traficantes, frailes, gentes de capa parda y frente de azafrán. En lo hondo hay un jardín. Y ese jardín es tu casa, Mangirón. En el jardín hay malvas, bojes y lirios.

A José Bello (3)

[1925]

Hoy ha sido para mí un día de fiesta por tu carta. Si me preguntan: «¿Ha tenido usted noticias de Pepín?» yo contestaría: «No.» Ha sido porque mi querido amigo no pasa el calor andaluz que yo paso. Entonces el señor que pregunta se golpearía el bigote como una media luna de crepé y me gritaría: «Diga usted por qué.» Yo pensaría en tu facha de Zadkine (...). Tu carta tiene dos cosas extrañas para un joven que está solo en el campo: sobriedad y realismo justo.

115

En la cocina, Elenica está llorando porque quiere destapar las ollas. Adelina melancoliza su tiempo y Pilar le da con una vara para que corra aprisa *. Muy lejos, casi llegando a Madrid, va el auto de tu padre, moviendo un larguísimo rabo azul de gasolina.

Contéstame en seguida, que mi elogio a tu carta no haga retrasar tu contestación… Da recuerdos a todos, besos a la niña y a Antonio… Piensa y filosofa. Adiós, Mariano Campaña con pintas. Un abrazo de

FEDERICO

* Son hermanas de Pepín Bello.

A José María Chacón y Calvo (1) *

[Dibujo: marinero]

Este triste marinero fuma su pipa y recuerda. Si se descuida un momento, sus ojos se irán para siempre al fondo del agua. ¡Qué lento mar sin velas y recuerdos estará a estas mismas horas moviéndose! ¡Qué mar cubierto de obscuras rosas y peces muertos! ¡Y qué real y verdadero! ¡A la hora de oro! ¡Viva la hora!… todos estamos como el marinerito. De los puertos nos llegan el rumor de los acordeones y el turbio ruido enjabonado de los muelles. De las montañas nos llega el plato de silencio que comen los pastores, pero nosotros no oímos más que nuestras lejanías. ¡Y qué lejanías sin fondo y sin puertas y sin montañas!…

Tenía que dirigirme a ti de esta manera. Tu marinero entenderá a mi marinero.

¿Dónde estás, querido José María?

Hoy salgo de mi soledad para agitarte mi pañolito blanco. Norte. Sur. Este. Oeste.

¡Ya está! El pañolito tiene un nombre.

En el campo vivo. Espero que como siempre me escribirás. Lejos de mis amigos, en medio de la resplandeciente Andalucía, yo me siento señor de todo, con mi corte ignorada de bellezas morenas. Adiós mar. Adiós José María. Conde, ¡Señor conde! Un abrazo de

FEDERICO (rex)

Señas: Apeadero de San Pascual. Prov. de Granada.

* De fecha incierta. «¡Señor Conde!», exclama Lorca a Chacón, VI Conde de Casa Bayona (Gutiérrez-Vega, *op. cit.*, p. 22).

A Ana María Dalí (2)

[Tarjeta postal: Patio de la Acequia, Alhambra]

[M: 25 de julio de 1925]

Señorita Ana María Dalí Domenech. Prov. de Gerona. Cadaqués

Mi más cariñosa felicitación en el día de tu *santa*. Recuerdos a tu *tieta*, padre y hermano.

FEDERICO

A Melchor Fernández Almagro (21)

[julio de 1925] *

Queridísimo Melchorito:

Aunque sé que tú ya no eres amigo mío ni me quieres absolutamente nada, yo, como soy muy amigo tuyo

117

y te quiero *lo suficiente,* me permito escribirte para recordarte que existo. Estoy en el campo ¡y en qué campo de Dios! Entre todos mis recuerdos sale tu cara de moro, luna melancólica en la tarde del Regina.

Yo trabajo... (no me digas nada), trabajo para morir viviendo. No quiero trabajar para vivir muriendo. Me renuevo. Gracias a Dios, en quien cada día que pasa pongo mi empeño y mi ilusión.

Hago unos diálogos extraños profundísimos de puro superficiales que acaban todos ellos con una canción. Ya tengo hecho «La doncella, el marinero y el estudiante», «El loco y la loca», «El teniente coronel de la guardia civil», «Diálogo de la bicicleta de Filadelfia» y «Diálogo de la danza» que hago estos días. Poesía pura. Desnuda. Creo que tienen un gran interés. Son más *universales* que el resto de mi obra... (que, entre paréntesis, no la encuentro aceptable).

Si me contestas y me quieres te enviaré alguno.

Escríbeme en seguida. No te olvides de mí. Quisiera que vinieses a Granada. Tengo unos deseos enormes de darte un banquete con los amigos. Yo haría un brindis en verso.

Melchorito, cuéntame cosas de Madrid.

Saluda a todos los amigos, a Pepe Bergamín y a Guillén, y a todos.

Guillén es encantador. En su casa he pasado ratos inolvidables. Si lo ves, dile que le escribiré y le mandaré el poema de mi Teresita.

Adiós, un abrazo y otro. Muchas cosas a tu familia. El día dieciocho es *mi santo.* Escríbeme antes y luego.

Adiós.

Federico (ex poeta)

* Modifico la fecha dada por Gallego Morell, julio de 1926 (*op. cit.,* p. 76), aceptando, provisionalmente, la que propone

Mario Hernández (*op. cit.*, p. 164), quien recuerda que la fecha de composición de la «Escena del teniente coronel de la Guardia Civil», tal como consta en la primera edición del *Poema de cante jondo* y en el manuscrito reproducido en *Autógrafos* (ed. Rafael Martínez Nadal [London: Dolphin Book Company, 1975], p. 106) es «5 julio 1925». Otro de los diálogos mencionados por Lorca en esta carta, «Diálogo de la bicicleta de Filadelfia», está fechado «julio 1925» (véase la p. 19 del número 2 de *gallo,* donde se publica bajo el título de «El paseo de Buster Keaton»).

A Manuel de Falla (12)

[Tarjeta postal]

[M: Málaga (ilegible)] *

Querido D. Manuel:
Un abrazo desde este paraíso de Andalucía. Estamos muy contentos y sentimos el que falte usted.

FEDERICO

Recuerdos a María Carmen [Falla].

Todo esto es verdad. Fuertes abrazos,

MANOLO

Con el recuerdo de haberle saludado en París una noche, le envío hoy un abrazo

JOAQUÍN PEINADO

¡OLE!

---

* Tarjeta postal de fecha incierta. Quizás fue escrita durante el viaje a Málaga mencionado en la carta 3 a Ana María Dalí. El «Manolo» que firma la tarjeta es, probablemente, Manuel Angeles Ortiz.

A Melchor Fernández Almagro (22)

[Granada, fines de septiembre 1925] *

Queridísimo Melchorito:

No sabes lo mucho que hemos sentido, tanto yo como mi familia, la muerte de tu pobre tía Juana [Fernández Abril], tan cariñosa e inocente. Yo recuerdo en estos instantes aquel día en [que] hizo que nos abrazáramos los dos para ella ver palpablemente nuestra gran amistad. ¡Dichosa mil veces su alma cristianísima y delicada!

Y tú, ¿cuándo vienes? Te esperamos todos con verdadero cariño y proyectamos comer todos juntos en honor tuyo.

No te puedes dar idea el entusiasmo que ha causado tu libro en Valdecasillas y [Antonio] Luna... ¡y así tiene que ser!, porque el libro es una preciosidad.

Yo trabajo mucho estos días.

Hago por *primera vez en mi vida* poesía erótica. Se me ha abierto un campo insigne que me está renovando de una manera extraordinaria. Yo no me entiendo, Melchorito. Mi madre dice «¡todavía estás creciendo!»... y yo por otra parte voy *entrando en problemas* que hace tiempo debí plantearme... ¿soy un retrasado?... ¿qué es esto? Parece que acabo ahora de entrar en la juventud. Por eso cuando tenga sesenta años no seré viejo... Yo no voy a ser *viejo* nunca. Adiós. Tengo ganas de hablar contigo... y de pedirte consejo.

FEDERICO

---

* Según Gallego Morell (*op. cit.*, p. 71, nota 2), doña Juana Fernández Abril, hermana del padre de M. F. A., falleció en Madrid el 17 de septiembre de 1925. A esta carta G. M. añade equivocadamente cuatro poemas del año 1923 (véase la nota a la carta 2 a José de Ciria y Escalante).

A Regino Sainz de la Maza (5)

[Membrete:] Residencia de Estudiantes. Pinar, 15. Madrid

Queridísimo Regino: Estoy en Madrid, y como no te he hallado por ninguna parte, te escribo al *hogar,* donde supongo estarás *.

Te recuerdo muchísimo y has tenido sitio en mi corazón, lleno de telarañas durante todo el verano.

Contesta dando señales de vida y en seguida yo te escribiré más extenso. ¿Cuándo vienes?

Tenemos que comunicarnos muchas impresiones; yo he *trabajado* mucho y traigo un gran plan de trabajo. ¿Y tú? Adiós. Un fuerte abrazo de

FEDERICO

* Escrita a finales de un verano, al regresar García Lorca a Madrid. Arturo del Hoyo sugiere el año 1925.

A Ana María Dalí (3)

[otoño 1925] *

Querida amiga Ana Maric:

Recibo en Granada tu carta deliciosa. Nunca te he olvidado, y si no he escrito antes no ha sido por culpa mía, sino por culpa de mis días un poco tontos de Madrid. Ahora en Andalucía soy otro. El mismo que estuvo en Cadaqués. ¡Cuántas veces me he acordado de aquel verdadero conato de naufragio que tuvimos en Cap de Creus! ¡Y qué rico aquel conejillo que nos comimos con sal y *arena* al pie de águila naranja! Aquel mar es mi mar, Ana Maric.

Es muy bonito lo que me dices de mis pobrecitos guantes... (que eran prestados para poder presumir en tu casa), muy bonito.

En los guantes y en los sombreros está toda la personalidad cuando se han usado y *empapado*. Dame un guante y te diré el carácter de su dueño... En los desvanes de la casa Pichot debe haber guantes de todos ellos, negros, de cabritilla, blancos pequeñitos de primera comunión, de punto..., debe ser impresionante verlos en el cesto de mimbre..., sobre todo los de la madre, ¡y el ruido del mar! No quiero pensar en este tema de Ibsen. Pensemos en *la Niní* que viene vestida de Orfeo cantando como un marinero borracho sobre una concha de hojalata.

Me dices que has pasado un verano delicioso, y me alegro mucho. Un verano de canoas y gestos clásicos. Yo, en cambio, lo he pasado bastante mal. He trabajado mucho, pero tenía una ansiedad enorme por estar en el mar. Luego estuve y me he curado completamente. Puedo decir que Málaga me ha dado la vida. Así pude terminar mi Ifigenia, de la que te enviaré algún fragmento.

Lo de la Lydia es encantador. Tengo su retrato sobre mi piano. Xenius (¿conde de qué?) dice que *ella* tiene la locura de Don Quijote (aquí hay que apretar los labios y entornar los ojos), ¡pero se equivoca! Cervantes dice de su héroe «que se le secó el celebro», ¡y es verdad! La locura de Don Quijote es una locura seca, visionaria, de altiplanicie, una locura abstracta, *sin imágenes*... La locura de Lydia es una locura húmeda, suave, llena de gaviotas y langostas, una locura *plástica*. Don Quijote anda por los aires y la Lydia a la orilla del Mediterráneo. Es esta la diferencia. Y quiero que conste para que no eche raíces esa ligereza de *Xenius*. ¡Qué admirable Cadaqués!, ¡y qué cosa tan divertida poder hacer un paralelo entre la Lydia y el último caballero andante! Y tú..., ¿me perdonas este breve análisis de temperamentos? Creo que sí, porque muchas veces hemos hablado de estas cosas. Y sobre todo... hemos podido salvar nuestras rraras, *las redes, las rocas, las ricas y las rrucas.*

¿No conocías a [Ernesto] Halffter? ¿Verdad que es un tonto muy interesante? Tiene la *bobería* suficiente para llegar a ser un gran artista. ¿Por qué no vienes tú y tu hermano a Granada? Mis hermanas te escribirán invitándote. Saluda a tu *tieta* y a tu padre, a quienes agradezco tantos favores y cordialidades; recuerdos a Salvador, y sabes no te olvida tu amigo,

FEDERICO

Y amigo de Cataluña entera, ¡eso siempre! ¡*Visca!*

¿Qué te parece, Ana Maric, el retrato de tu señorito hermano? Escríbeme diciéndolo. No te olvides de este pobre *náufrago* andaluz.

---

* Arturo del Hoyo (¿siguiendo a Velasco?) fecha esta carta: «¿otoño de 1927?». De ser así, sería posterior a la segunda visita de Lorca a Cataluña (primavera y verano de 1927). Sin embargo, por varias razones, debe ser de 1925. La mención de los guantes y del naufragio en Cabo de Creus relaciona esta carta claramente con la primera. Los guantes, dice Federico, «eran prestados para poder presumir en tu casa», detalle que sería innecesario en 1927.

Además, después de pasar casi todo el verano de 1927 con la familia Dalí, no es verosímil que Lorca dijera, en el otoño de aquel año: «Me dices que has pasado un verano delicioso... Yo, en cambio, lo he pasado bastante mal.» Tampoco es probable que, después de haber pasado el verano en Cadaqués, Figueras y Barcelona, dijera: «tenía una ansiedad enorme por estar en el mar». Dice que estuvo en Málaga, y queda constancia de este viaje en la carta 1 a José Bello, escrita, según éste, en el verano de 1925 («Dentro de muy poco me voy a Málaga, a bañarme en la "ma"). Otra carta a Bello de este mismo verano contiene una descripción lírica del ambiente que Lorca imagina rodear a su destinatario —lirismo epistolar, en tiempo presente, muy parecido al de esta carta.

Por todas estas razones, fechamos la carta —y el desconocido drama *Ifigenia* que Lorca menciona en su tercer párrafo— en otoño de 1925.

A Jorge Guillén (3)

[Tarjeta postal. Granada. Catedral. Capilla Real]

[M: 22 septiembre 1925]

Sr. D. Jorge Guillén, Almagro, 31. Madrid.

Un abrazo desde Granada.
Os he recordado todo mi largo verano de oro.
He trabajado mucho.
¿Qué importa lo demás?
Muchas cosas a los niños y a tu mujer, a la cual
tengo tantas delicadezas que agradecer.
Un abrazo para ti de tu admirador y leal amigo.

FEDERICO

A Francisco García Lorca (2)

[Tarjeta postal: Iglesia de la Cartuja, Granada]

[1925] *

Queridísimo Paquito: Mañana te escribiré largamente
por *correo vuelto* muchas e interesantes cosas. ¿Y tú?
Cuéntame muchas cosas y pronto. Tu impresión de Burdeos, los chicos surrealistas, etc. Te mando esta tarjeta
con este barroco oriental que tanto dice de Granada y
de toda Andalucía. Es lo *último* grande. En casa están
todos buenísimos y contentos de que tú lo pases bien
y estudies mucho. Hasta la tuya, abrazos estrechísimos
de tu

FEDERICO

* Para la fecha, véase Francisco García Lorca, *Federico y
su mundo,* ed. cit., p. xvi.

A Melchor Fernández Almagro (23)

[Tarjeta postal: acueducto y carmen de la Senda de los Huertos]

[M: Jaén, 2 noviembre 1925]

Sr. D. Melchor Fdez. Almagro. Administración del Correo Central. Madrid.

Querido Melchorito:

Un abrazo desde Jaén.

Estoy seguro que encontrarías magnífico de carácter este paisaje. ¡Hasta pronto!

FEDERICO

Desde Jaén, donde venimos a rendir homenaje a don Lope de Sosa, le saluda

P. SEGURA [SORIANO]

¿Cuándo te veremos en Granada? o ¿cuándo iré a Madrid? Quiero escribirle. Un abrazo muy largo.

ALFONSO [GARCÍA VALDECASAS]

Hasta pronto.

MIGUEL [¿PIZARRO?]

Dejemos el homenaje y cenemos..., si te parece, 1.º.

[ILEGIBLE]

Te abraza y te espera

ANTONIO

A Melchor Fernández Almagro (24)

[Tarjeta postal]

[M: Granada, 7 noviembre 1925] *

Melchorito F. Almagro. Alcalá, 166. Madrid.

Queridísimo Melchorito:

Recibí tu carta. ¡Te esperamos! Ponnos un telegrama.

¿Pero tú conoces Jaén? No. Tú conoces Ubeda y quizás Baeza. Estas son dos ciudades mitad castellanas y mitad andaluzas. De ahí es tu sangre. Pero el que está en *Jaén* puede decir que ha llegado al corazón recóndito y *puro* de Andalucía la alta. Hecha esta advertencia, te abrazo y hasta luego.

FEDERICO

Querido Melchor:
MacDonald sigue su cuesta abajo de desilusiones granadinas. En cambio, ha descubierto en grata compañía la belleza de Jaén, con su catedral airosa, abierta por cientos de balcones a las calles y a la plaza, coronada de apóstoles y profetas y guardadora del *Santo Rostro,* que solemnísimamente adoramos. Se puede hacer el viaje por besar el cristal donde surge la cara bizantina de Cristo, aceitosa y llena de dulce intimidad entre las viejas esmeraldas y rubíes del católico y viejo marco. Envuelta, además, en la unción sedosa de la liturgia. Granada ya no *es.* Granada *tiene,* Jaén *es* unificada.
Jaén *es* Andalucía..., pero *yo* no soy andaluz. Y me callo.

Pero quiere serlo y ya tiene dispuesto en su corazón un hueco de la medida justa para el garbo de una andaluza como las de Jaén, esbeltas, de un mirar tan directo que ellas mismas se asustan, esquivándose. Los ojos tienen todos los cambiantes de la hoja del olivo. Sobre el fondo del plano argentífero de la tierra. ¡Que vengas! ¡Niños, a firmar!

¡Que sí, que vengas!

ALFONSO [GARCÍA VALDECASAS]

Un fuerte abrazo de

ENRIQUE [GÓMEZ ARBOLEYA]

No he estado en Jaén.

[JOSÉ FERNÁNDEZ] MONTESINOS

ANTONIO GONZÁLEZ COBO

* Arturo del Hoyo (O. C. II, 1187-188) imprime esta comunicación como si se tratara de dos cartas distintas, y como si Federico fuera quien redactó toda la segunda parte (la parte que empieza «Querido Melchor: MacDonald sigue su cuesta abajo...»). La fotocopia incompleta que tengo termina con las palabras «apóstoles y profetas y guardadora del (continúa)».

La letra de este trozo *no es la de Lorca*. Según Gallego Morell (*op. cit.*, p. 73), a partir de ahí la carta «continúa con letra de Federico».

A Juan Ramón Jiménez (1)

[Tarjeta postal: jardín de Lindaraja, Granada]

[Granada, diciembre 1925] *

Sr. D. Juan Ramón Jiménez y Zenobia Camprubí
Lista, 8. Madrid

Nuestra más cariñosa felicitación de Navidad.

FEDERICO
ISABELITA
CONCHITA

Saludos de mis padres. Paquito [García Lorca] está en Burdeos.

* La carta no es de 1924, como dice Gallego Morell, sino de 1925: Francisco García Lorca estudió en Burdeos durante el semestre del otoño de 1925, quedándose allí (con visitas ocasionales a París) hasta febrero de 1926, por lo menos (cf. la carta 28 a M. F. A., y Francisco García Lorca, *Federico y su mundo* [Madrid: Alianza, 1980], p. xiv).

A Melchor Fernández Almagro (25)

[Tarjeta postal: Granada]

[M: Granada, 23 diciembre 1925]

Sr. D. Melchorito F. Almagro. Alcalá, 166. Madrid.

Un abrazo cariñoso en la fiesta de Pascua.

Saluda a tu familia de parte de la mía. Oiremos la misa del gallo en las Tomasas.

¡Hasta pronto, querido Melchorito!

FEDERICO

A Jorge Guillén (4)

[Telegrama] *

[M: Granada, 17 diciembre 1925]

Jorge Guillén. Almagro, 31, entresuelos, Madrid
ENTERADO TRIUNFO ABRAZOS ENHORABUENA

FEDERICO

* Telegrama de felicitación, al ganar Guillén la cátedra de Lengua y Literatura españolas en la Universidad de Murcia.

A Antonio Gallego Burín (5)

[Tarjeta postal]

[Madrid, ¿1925?]

Al inmortal literato y consecuente célibe Antonio Gallego, autor de *El Poema del Convento* y otras obras, y poseedor de un apéndice rebelde, sus admiradores y amigos dedican este recuerdo que aspira a perdurar en su despacho bajo un marco antiguo en conmemoración de su nombramiento de Académico Correspondiente de la Historia. Deseamos que esto no sea más que el principio de una brillante carrera y que, en breve, obtenga otras distinciones, no menos honrosas, en la *Cruz Roja* y *Sociedad Económica de Amigos del País*.

PEPE [ALVAREZ DE CIENFUEGOS]
JOSÉ MORA GUARNIDO
FEDERICO [GARCÍA LORCA]
MELCHOR [FERNÁNDEZ ALMAGRO]
MIGUEL [PIZARRO]

A Melchor Fernández Almagro (26) *

Querido Melchorito:
De parte de mi padre y de la mía te recomiendo con todo interés a Luis Ortega Maruecos, un excelente muchacho que va a ser opositor a aspirante de correos.

Te ruego que si tú tienes alguna influencia como personalidad del cuerpo, ayudes a nuestro amigo en todo lo que te sea posible en la seguridad de nuestro agradecido afecto.

Adiós, Melchorito. Hasta pronto. Recibe un abrazo de

FEDERICO

* Gallego Morell (*op. cit.*, p. 63) fecha esta carta, sin explicarnos por qué, en 1923. La letra y firma de Federico es similar a la de los años 1926 ó 1927. Faltándome otros datos, la dejo sin fechar.

A Rafael Alberti

[invierno de 1926]

Querido primo: Ayer tarde hubo aquí una gran tormenta. Dime, por favor, si también la hubo ahí. Trabajo, entregado a la poesía, que me hiere y me manda.

¡Adiós!
¡Al molino del amor,
por el toronjil en flor!
¡Adiooós!

Abrazos,

FEDERICO

¿Cuándo vienes a Granada?

129

A Ana María Dalí (4)

[Dibujo:] (Vatis capiliferus) Putrefacto artístico

[enero 1926] *

Querida amiga Ana Maric:

No te he contestado antes porque he representado durante varios días un magnífico *ataque* de fiebre y lo he tenido que atender como realmente se merecía.

Me empezó con un temblor delicadísimo parecido a un *tempo rubato* de Chopin, que yo convertí en un ritmo serio y acusado con objeto de asustar a la familia y hacerles subir y bajar las escaleras con gran confusión. Salió muy bien.

Pero yo tengo un sentimiento grande de que el ataque no haya sido de *caries*, que son los más suntuosos, los mejor organizados, y los más alarmantes sin consecuencias. Este ha sido intenso y me ha dejado amarillo, con las orejas de papel. Ya ha pasado.

—

Como hace buen tiempo, las señoritas de Granada se suben a los miradores encalados para ver las montañas y no ver el mar. Las rubias se ponen al sol y las morenas a la sombra. Las de pelo castaño están en el primer piso mirándose en los espejos y poniéndose peinillas de celuloide.

Por las tardes se visten con trajes de gasas y sedalinas vaporosas y van al paseo, donde corren las fuentes de diamante y hay viejos suplicios de rosas y melancolías de amor. Luego se hartan de pasteles y bombones de chocolate en una tienda que se debía llamar *París de Francia* pero que se llama *La pajarera*. La vida social de Granada es prodigiosa de poesía y putrefacción lírica. La flora mediterránea brilla aquí con toda la delicadeza de sus grises maravillosos. Pitas y olivos. Pero las señoritas de Granada no quieren al mar. Tienen grandes conchas de nácar con marinas pintadas y así lo ven; tienen grandes caracolas en sus *salas de estrado* y así lo oyen.

Dichosa tú, Ana Maric, sirena y pastora al mismo tiempo, morena de aceitunas y blanca de espuma fría. ¡Hijita de los olivos y sobrina del mar!

—

Ya estoy un poco fastidiado en Granada. Quiero marcharme de aquí. Alguna vez, y quizás sea pronto, tendré el gusto de saludarte.

Hasta entonces recibe la *millor* amistad de

FEDERICO

¡Ya vienen las bestias!
¿Has visto cuánta bestia ha ido al homenaje de Rusiñol?

SI.

* Arturo del Hoyo (*O. C.* II, 1518) pone, entre signos interrogatorios, el año de 1926. Esta carta debe de ser de principios de aquel año, probablemente a mediados de enero. El día 9 de ese mes escribe a M. Fernández Almagro: «he guardado cama con unas fiebrecillas molestas» —malestar que exagera aquí hasta convertirlo en «un magnífico ataque de fiebre».
En una de las posdatas, Federico pregunta: «¿Has visto cuánta bestia ha ido al homenaje de Rusiñol?» Según me informa María Cristina Quintero, este homenaje tuvo lugar el 10 de enero de 1926 en la villa de Sitges. Cuenta Josep M. Poblet, en su *Vida i obra literaria de Santiago Rusiñol* (Barcelona: Bruguera, 1966, p. 104), que «De tots els homenatges... el més escaient i possiblement el que millor arribava al cor del poble —i, en dir-ho aixi, volem precisar a totes les classes socials— és el que va tenir lloc el dia 10 de general de l'any 1926... De Barcelona hom forma un tren especial fins a Sitges.» En aquella ocasión ofreció un banquete a Rusiñol el Sr. Pom-

131

peu Fabra, presidente del Ateneo barcelonés, a cuyos miembros los hermanos Dalí y Federico García Lorca solían llamar «bestias».

A Melchor Fernández Almagro (27)

[Tarjeta postal]

[M: Granada, 9 enero 1926]

Queridísimo Melchorito:
No te felicité tu día ni te he escrito en este tiempo porque he guardado cama con unas fiebrecillas molestas, que, gracias a Dios, han desaparecido.
¿Cómo has pasado las Pascuas?
Yo tengo unos deseos (como no los tendrás tú) muy grandes de darte un abrazo y de comer en amigable compañía, recordando, como siempre, a nuestro Ciria, pero ya con la alegría que nos faltó tanto tiempo. Por eso casi no nos veíamos.
Espero que marcharé pronto y tendrás que aguantar *alguna lata* de lecturas nuevas.
Adiós, Melchorito. Un abrazo de

FEDERICO

A Melchor Fernández Almagro (28)

[Dibujo: caras superpuestas de pierrot]

[finales de febrero 1926] *

Queridísimo Melchorito: Yo, que me imaginaba, no sé por qué, que tú estabas disgustado conmigo, he tenido una inmensa alegría cuando he visto tu carta de Za-

132

ragoza. Me explico que la ciudad baturra no te haya gustado. Zaragoza está *falsificada* y *zarzuelizada* como la jota, y para buscarla en su antiguo espíritu hay que ir al Museo del Prado y admirar el *exactísimo retrato* que le hizo Velázquez. Allí la torre de San Pablo y los tejados de la Lonja están *ambientados* sobre el cielo de perla y la original silueta del caserío. Hoy la ciudad se ha marchado. Yo, que he pasado Aragón en el tren, creo que el viejo espíritu de Zaragoza debe andar errabundo, acribillado de blancas heridas, por los alrededores de Caspe, en las últimas grises rocas, donde el viento duro tira al pastor y *salvajiza* la luz de las estrellas grandes.

En cambio Barcelona ya es otra cosa, ¿verdad? Allí está el Mediterráneo, el espíritu, la aventura, el alto sueño de amor perfecto. Hay palmeras, gentes de todos países, anuncios comerciales sorprendentes, torres góticas y un rico pleamar urbano hecho por las máquinas de escribir. ¡Qué a gusto me encuentro allí con aquel aire y *aquella pasión*! No me extraña el que se acuerden de mí, porque yo hice muy *buenas migas* con todos ellos y mi poesía fue acogida como realmente no merece. Sagarra tuvo conmigo deferencias y camaraderías que nunca se me olvidarán. Además, yo que soy *catalanista furibundo* simpaticé mucho con aquella gente tan *construida* y tan harta de Castilla.

Yo tengo noticias constantes de ese país por mi amigo y compañero inseparable Salvador Dalí, con quien sostengo una abundante correspondencia. Y estoy invitado por él a pasar ahora otra temporada en su casa, cosa que haré ciertamente, pues tengo que *posarle* para un retrato.

Oculto muchos proyectos que ya te diré. Quiero publicar. Porque si ahora no lo hago, no lo hago ya nunca, y esto está mal. Pero quiero publicar bien. He trabajado en el arreglo de mis libros. Son tres. *Depuradísimos.*

Las cosas que van en ellos son las que deben ir. El libro que me ha salido de canciones cortas es interesante. Como no te acuerdas de ellas, crees que *las han copiado ya*. Nada más lejos que eso. *Han salido ilesas*. ¡Pobrecitas! Pero tienen *un algo* y ese algo es lo que no se copia. Yo no le *doy todo a la música* como ciertos *poetas jóvenes*. Le doy *amor* a ¡la palabra! y no al sonido. Mis canciones no son de ceniza. ¡Qué útil me ha sido tenerlas guardadas! ¡Bendito sea yo! Ahora en esta revisión les he dado el *último toque* y ¡ya están! Una parte de ese libro dedico a la niña Teresita de Jorge Guillén de esta manera:«A Teresita Guillén, tocando su piano de seis notas». Todas están dedicadas a niños. En los otros libros ya dedico a mayores. A ti, a Salinas, etc., etc. He trabajado mucho. Quiero ir pronto a Madrid... pero me iré a Figueras y luego a Toulouse con Paquito. Me va pareciendo el *ambiente literario* de Madrid demasiado *gurrinica*. Todo se vuelven comadreos, insidias, calumnias, y bandidaje americano. Tengo gana de refrescar mi poesía y mi corazón en aguas extranjeras para darle más riqueza y ensanchar sus horizontes. Estoy seguro que ahora empieza una nueva época para mí. Quiero ser un Poeta por los cuatro costados, amanecido de poesía y muerto de poesía. Empiezo *a ver claro*. Una alta conciencia de mi obra futura se apodera de mí, y un sentimiento casi dramático de mi responsabilidad me embarga... no sé... me parece que *voy naciendo* a unas formas y un equilibrio absolutamente definidos.

—

Paquito está en Burdeos. Pronto irá a Toulouse y luego a Londres. Yo me voy en seguida. Tengo gana de abrazarte y abrazar a Guillén, tan bueno siempre conmigo. Yo he nacido para mis amigos, pero *no he nacido* para mis *conocidos no más.*

[Dibujo: pierrot]

. . . .

Te mando este trozo de mi *aleluya erótica* «Amor de Don Perlimplín con Belisa en su jardín».

ESCENA SEGUNDA (CUADRO TERCERO)

(Empieza a sonar una serenata.) Don Perlimplín *se esconde detrás de unos rosales. Las guitarras atropellan deliciosamente a la flauta y el acordeón.*

Voces *(Fuera.)*
Por las orillas del río
se está la noche mojando,
y en los pechos de Belisa
se mueren de amor los ramos.

Don Perlimplín
¡Se mueren de amor los ramos!

Voces
La noche canta desnuda
sobre los puentes de marzo.
Belisa lava su cuerpo
con agua salobre y nardos.

Don Perlimplín
¡Se mueren de amor los ramos!

Voces
La noche de anís y plata
relumbra por los tejados.

135

Plata de arroyos y espejos
y anís de tus muslos blancos.

Don Perlimplín (*Llorando.*)
¡Se mueren de amor los ramos!

(*Aparece* Belisa *por el jardín. Viene espléndidamente
desvestida. La luna le ilumina un seno de oro y el otro
de plata. Una estrella salta como un cigarrón.*)

Belisa.—¿Qué voces llenan de dulce armonía el aire
de una sola pieza de la noche? He sentido tu calor
y tu peso delicioso, joven de mi alma... ¡Oh!... Sí...
¡Se mueven las ramas!

(*Un* Hombre, *envuelto en una gran capa de torero, cruza el jardín.*)

Belisa.—¡Es aquí!... ¡Mírame!... (*El* Hombre *indica
con la mano que ahora vuelve.*) ¡Oh! ¡Sí!... Vuelve,
amor mío. Jazminero flotante y sin raíces, el cielo
caerá sobre mi espalda sudorosa. ¡Noche!... ¡Noche
mía de menta y lapislázuli.

(*La voz sensual y engolada de* Belisa *suena como un
chorro gordo de agua entre frescuras. Aparece* Perlimplín.)

Perlimplín.—(*Haciéndose el sorprendido.*) ¿Qué haces aquí?
Belisa.—Paseaba.
Perlimplín.—¿Y nada más? (*Pausa.*)
Belisa.—En la clara noche.
Perlimplín.—(*Enérgico.*) ¿Qué hacías aquí?
Belisa.—(*Sorprendida.*) ¿Pero no lo sabías?
Perlimplín.—Yo no sé nada.
Belisa.—(*Sorprendida.*) Tú me enviaste recado.

PERLIMPLÍN.—*(Concupiscente.)* Belisa... ¿Lo esperas aún?

BELISA.—¡Sí!

PERLIMPLÍN.—*(Fuerte.)* ¿Por qué sí?

BELISA.—Porque lo quiero.

PERLIMPLÍN.—*(Suave.)* ¡Pues vendrá!

BELISA.—El olor de su carne le pasa a través de su ropa. Le quiero, Perlimplín. ¡Le quiero!

PERLIMPLÍN.—¡Ese es mi triunfo!

BELISA.—¿Qué triunfo?

PERLIMPLÍN.—El triunfo de mi imaginación.

BELISA.—*(Tierna.)* Es verdad que me ayudaste a quererlo.

PERLIMPLÍN.—Como ahora te ayudaré a llorarlo.

BELISA.—*(Extrañada.)* Perlimplín, ¿qué dices?

(El reloj da las diez. Cantan los ruiseñores.)

PERLIMPLÍN.—¡Ya es la hora!

BELISA.—Debe llegar en estos instantes.

PERLIMPLÍN.—Salta las tapias de mi jardín.

BELISA.—Envuelto en su capa roja.

PERLIMPLÍN.—*(Sacando un puñal.)* Como su sangre. Ahora lo veré.

BELISA.—*(Sujetándole.)* ¿Qué vas a hacer?

PERLIMPLÍN.—*(Abrazándola.)* ¿Le quieres?

BELISA.—*(Con fuerza.)* ¡Sí!

PERLIMPLÍN.—Pues en vista de que le amas tanto, voy a clavarle este puñal para que nunca pueda huir de tu lado.

BELISA.—¡Por Dios, Perlimplín!

PERLIMPLÍN.—¿No te parece, hijita? Ya muerto, lo podrás acariciar siempre en tu cama tan pálido y tan lindo, sin que tengas el temor de que deje de amarte, y yo quedaré libre de esta clara pesadilla de tu cuer-

po... grandioso. *(Abrazándola.)* Tu cuerpo que nunca
podría descifrar. ¡Míralo, por dónde viene! ¡Enhorabuena! ¡Dios mío, qué bello, qué bello es!... Pero
suelta, Belisa... ¡Suelta! *(Sale corriendo.)*

BELISA.—*(Desesperada.)* ¡Marcolfa! Marcolfa, bájame
la espada del comedor, que voy a atravesar la gar-
ganta de mi marido.

(A voces.)

> Don Perlimplín,
> marido ruin.
> Como le mates,
> te mato a ti.
> ¡Don Perlimplín!
> ¡Don Perlimplín! *(Sale entre gritos.)*

Dime si te gusta. ¡Claro que sin el argumento...,
pero dime algo de esos dos señores y del *ambiente,* que
de eso sí se puede hablar con este botón.

También te mando este romance gitano nuevo.

ROMANCE GITANO DE LA LUNA LUNA
DE LOS GITANOS

> La luna viene a la fragua
> con su polisón de nardos.
> El niño la mira mira,
> el niño la está mirando.
> En el aire conmovido
> mueve la luna sus brazos,
> y enseña, lúbrica y pura,
> sus senos de duro estaño.
> «Huye, luna, luna, luna.

Si vinieran los gitanos
harían con tu corazón
collares y anillos blancos.»
«Niño, déjame que baile.
Cuando vengan los gitanos
te encontrarán sobre el yunque
con tus ojillos cerrados.»
«Huye, luna, luna, luna,
que ya siento sus caballos.»
«¡Niño, siéntate! ¡No pises
mi blancor almidonado!»
El jinete se acercaba
tocando el tambor del llano.
Dentro de la cueva, el niño
tiene los ojos cerrados.
Por el olivar venían
—bronce y sueño— los gitanos.
Las cabezas levantadas
y los ojos entornados.
¡Cómo canta la zumaya!
¡Ay cómo canta en el árbol!
Por arriba va la luna
con un niño de la mano.
Dentro de la fragua lloran
dando gritos los gitanos.
El aire la vela, vela.
El aire la está velando.

Te envío éste, que fue el primero que hice y es el
más corto. Hay otros con los siguientes títulos: «El romance de la pena negra en Jaén», «El romance de los
barandales altos», «El romance de la Guardia Civil»,
«El romance de Adelaida Flores y Antonio Amaya» y
otros de diferentes clases. Mi idea es hacer un *romancero gitano*, pero ¡venga hacer versos!, ¡venga hacer

versos! para no publicar un solo libro..., ¡me da verdadera pena!, ¡y ganas de romperlos!

* Gallego Morell fecha esta carta en verano de 1926 (*op. cit.*, p. 77), pero debe ser, probablemente, de finales de enero del mismo año. No termina con las palabras «mis *conocidos* no *más*», como pensó Gallego Morell, sino, aparentemente, con un fragmento de *Don Perlimplín* y el «Romance de la luna de los gitanos», textos que G. M. une equivocadamente a la carta 30.

Al afirmar esto me baso en una carta inédita de Fernández Almagro a Federico (archivo familiar) que parece contestar a esta carta 28. La epístola de M. F. A. no lleva fecha, pero es del 1 de febrero de 1926: dice que «ayer fue la clausura de la exposición catalana», referencia, sin duda, a la Exposición de Arte Catalán Moderno, patrocinado por el *Heraldo de Madrid*. La Exposición se clausuró el día 31 de enero con una sesión en que Cipriano Rivas Cherif dio un recital titulado «Botones de muestra y pelos de lobo de la poesía nueva», leyendo, como escribe M. F. A., «poemas de los nuevos y de otros que no lo son. De ti leyó "Vestida de mantos negros"...». Véase dicha carta y también el *Heraldo de Madrid* y *El Sol* de finales de enero y primeros de febrero de 1926.

En la misma carta Fernández Almagro comunica a Federico que ha recibido el fragmento de *Don Perlimplín* y el romance, y que «la idea de los tres libros y la distribución en ellos de los poemas me parece admirable».

A Ana María Dalí (5)

Señorita Ana María Dalí
(Monturiol, 24). Figueras.
Prov. de Gerona

[principios de 1926]

Querida Ana María: Hasta mí han llegado rumores de que tu hermano se había ido a Francia y otras *cuantas noticias* que no he creído, naturalmente. Como había quedado en mandarme unos dibujos para mis libros y no me los manda, he creído que podría haber hecho una pequeña excursión al país vecino. Dime la verdad de todo esto y disipa estos rumores.

140

En casa hemos tenido muchos disgustos, pues hemos estado incomunicados más de dos meses con mi hermano, que está en París. Yo ahora trabajo mucho. En mi primer libro te dedico una canción que no sé si será de tu agrado, pero he procurado que fuese de las más bonitas. Contesta, y si tu hermano está ahí, dile que no sea gandul, que me hacen falta sus dibujos.

Recuerdos a tus padres y a tus amigos. Adiós, Ana Maric. Recibe la amistad más cariñosa de tu amigo y *bobouet* **.

FEDERICO

Acera del Casino, 31. Granada.

* Adelanto la fecha («enero o febrero de 1927») dada por Arturo del Hoyo, por dos razones: 1) Francisco García Lorca pasó el curso 1925-1926 estudiando en Toulouse y Burdeos, y es probable que esta visita a París date de este período (véase Francisco García Lorca, *Federico y su mundo* [Madrid: Alianza Editorial, 1980], p. xiv). En una carta inédita fechada el 29 de febrero de 1926 (archivo de la familia García Lorca), Pepín Bello le dice a F. G. L. que el día anterior había recibido una carta de Francisco García Lorca desde París. 2) Aparentemente, Lorca ha pedido a Dalí dibujos para las portadas de sus libros, quizá *Canciones, Suites* y *Poema del cante jondo* (su «primer libro» es *Canciones,* donde aparece el poema «Arbol de canción», dedicado a Ana María Dalí). El «arreglo» de estos libros data de 1926. En enero de 1927 (carta 36 a Fernández Almagro) ya está resuelto el problema de la portada de *Canciones.* Para la contestación de Ana María Dalí, véase Rodrigo, *op. cit.,* p. 186.
** «A mi hermano en juegos le llamábamos "babouet" que es el diminutivo de "babau" en catalán, pero Federico decía "bobouet".» Carta de Ana María Dalí de 17-6-81.

A Regino Sainz de la Maza (6) *

[Membrete:] Centro Artístico

Granada.—Acera del Casino, 31, por si te olvidaste.

Querido Regino: Recibí tu carta en Madrid momentos antes de regresar a esta maravillosa ciudad, y ahora te contesto, suplicándote con mucha insistencia que no tardes tanto en contestarme. Yo estoy loco de contento por una porción de cosas que te contaré cuando nos veamos (que sea pronto) y que dan a mi vida un alto sentido artístico, un verdadero y puro sentido espiritual.

Padezco ahora *verdaderos ataques* líricos y trabajo como un niño que pone un nacimiento; tal es mi ilusión.

Te recuerdo con bastante alegría y estoy deseando oírte. ¿Has hecho progresos? Estudia mucho, Regino, y peina con cuidado la invisible cabellera de tu corazón. ¡Ten cuidado que no se te enrede! He hablado de ti y te he propuesto a mis amigos para dar unos conciertos en un salón de independientes que estamos organizando y donde yo daré conferencias. ¡Es una cosa estupenda! Tú tocarás solamente música primitiva, pues yo creo que es lo de más carácter al lado de cuadros de Barradas, etc., etc., ¡Ya verás qué proyectos! Quiero mantener en ti una curiosidad para que te arañe esa alma lírica, turbia hoy por el fango catalán, esa alma tuya con seis cuerdas de miradas.

La curiosidad tiene unas uñas de gato (¿no lo sabías, Regino?). Unas uñitas afiladas que arañan las paredes del pecho y hacen que doña Distracción cierre sus cien ojos vertiginosos y malditos... Por eso te enciendo esta ilusión.

¡Si vieras! ¡Tengo un entusiasmo...! Mis manos están llenas de besos muertos (manzanas de nieve con el surco tembloroso de los labios) y espero lanzarlas al aire roto para coger otros nuevos. Contéstame en seguida. Un abrazo cordial.

Federico

Vela ha muerto. No te quiero hacer ningún comentario. Hoy me dio Angel Barrios recuerdos para ti. Aquí está Falla y me estoy hartando de oír sus cosas, ¡qué maravilla! Proyectamos los tres un viaje a la Alpujarra. Me voy a Madrid el 8 (¿y tú?).

* No he logrado identificar a Vela, cuya muerte menciona García Lorca en el último párrafo. De año incierto, esta carta debió de escribirse durante una breve visita a Granada (por lo menos, el poeta *pensaba* que iba a ser breve: acaba de llegar, y quiere volver a Madrid el día 8 —¿el 8 de enero, al terminar las vacaciones de Navidad?).

A Francisco García Lorca (3)

[Dibujo: dos cabezas de pierrot, superpuestas]

[febrero 1926] *

Querido Paquito: Todos los días he pensado durante un rato largo escribirte. Todas las noches al ver tu cama vacía con el fondo de la cortina de brocatel te he echado de menos... ¡y... no he tenido la luz encendida!

Dentro de pocos días quiero marchar a Madrid. He arreglado mis libros. Han salido estupendos. Tres. Tienen, cosa que yo no creía, una *rarísima unidad*. Pero he de publicarlos los tres juntos porque se completan uno a otro y forman un conjunto poético de *primer* orden. Estoy convencido. Su aparición puede ser, y así me lo aseguran todos los amigos que están entusiasmados con la idea, un acontecimiento *íntimo*. Yo estoy decidido a esto. He trabajado en *pulir* cosas. Las suites *arregladas* quedan deliciosas y de un lirismo profundísimo. Son tres. Un libro de Suites. Un libro de Canciones cortas, ¡el mejor! Y el poema del cante jondo con las canciones andaluzas. El romancero gitano quisiera reservarlo y hacer un libro sólo de romances. Estos días he hecho algunos, como el de *Preciosa* y el «Prendimiento de Antoñito el Camborio». Son interesantísimos. Si me contestas pronto te los mandaré. También he terminado la

Oda a Salvador Dalí, que queda una gran pieza de ciento cincuenta versos alejandrinos.

Quiero ir a Madrid a ver cómo puedo solucionar mi Mariana, que me resolverá muchas cosas, y arreglar mis libros.

En seguida de conseguir esto, quisiera irme contigo a Toulouse a *devorar* el francés y trabajar allí en el Diego Corrientes y crear mi lírica, que teniendo tanto vuelo está con las alas atadas.

Me siento capaz de realizar una gran obra original y *tengo la fe* de que la haré. Necesito un secretario y un editor, que tienen que salir. Yo soy capaz de crear, pero casi nulo de *realizar prácticamente* lo creado. Ahora esto que he hecho obligado por la necesidad ha sido a costa de un gran esfuerzo. Pero he disfrutado como no tienes idea. He visto *completas* cosas que antes no veía y he puesto en equilibrio poesías que cojeaban pero que tenían la cabeza de oro.

Debes escribirme en seguida diciéndome lo que piensas y si te parece bien que venga contigo a Toulouse. ¿No crees que sería muy útil este baño antes de ir a París? Por cuatro meses que estuviera me traía el francés a casa.

Hice una espléndida excursión a las Alpujarras llegando hasta el riñón. Tardamos dos días. Ha sido rápida. Pepe Segura me ha invitado. Pero cuando vengas tenemos que ir. Yo no he visto una cosa más misteriosa y exótica. Parece mentira que esté en Europa.

Los tipos humanos son de una belleza impresionante. Nunca olvidaré el pueblo de Cáñar (el más alto de España), lleno de lavanderas cantando y pastores sombríos. Nada más nuevo *literariamente*.

Hay, desde luego, dos razas perfectamente definidas. La nórdica, galaica, asturiana, etc., y la morisca, conservada purísimamente. Vi una reina de Saba desgra-

144

nando maíz sobre una pared color ratón y violeta, y vi a un niño de rey disfrazado de hijo de barbero.

No hay comunicaciones. Son finos, hospitalarios y, excepto los secretarios de ayuntamiento, tienen noción de la belleza del país.

Ponen un acento oscuro a todas las sílabas. Así dicen *Búénós díás*. Como gracias a Dios ya ha pasado el romanticismo y no hay viajeros franceses ni ingleses que quieran hacer *viajes líricos* la Alpujarra se conservará bien.

El país está gobernado por la Guardia Civil. Un cabo de Carataunas, a quien molestaban los gitanos, para hacer que se fueran los llamó al cuartel y con las tenazas de la lumbre les arrancó un diente a cada uno diciéndoles: «Si mañana estáis aquí *caerá otro*.» Naturalmente los pobres gitanos mellados tuvieron que emigrar a otro sitio. Esta Pascua en Cáñar un gitanillo de *catorce años* robó cinco gallinas al alcalde. La Guardia Civil le ató un madero a los brazos y lo pasearon por todas las calles del pueblo, dándole fuertes correazos y obligándole a cantar en alta voz. Me lo contó un niño que vio pasar la comitiva desde la escuela. Su relato tenía un agrio realismo conmovedor. Todo esto es de una crueldad insospechada... y de un fuerte sabor *fernandino*.

Aquí estamos todos buenos. Mamá y las niñas están abajo comiendo. Petra estará rabiando en la cocina. Papá en la huerta. Hay un cielo denso de lapislázuli. Ayer estuvimos en la Calahorra con nuestro Fiat. Vinieron Falla, Valdecasas, Luna, Torres López y Segura. Un día inolvidable. El castillo del renacimiento con el fondo de Sierra Nevada es maravilloso. Su constructor, el Marqués de Zenete, estuvo a punto de casarse con Lucrecia Borgia. A la vuelta pasamos por la episcopal y melancólica ciudad de Guadix. Falla estaba entusiasmado. Al pasar por la calle de Santa María de la Cabeza, del más puro estilo español, vimos, ¡casi intacta!, ¡la casa del Zagal!, de traza morisca. España es inagotable a pesar de los norteamericanos que se la están llevando poco a poco.

Adiós. Muchos besos de tu hermano,

FEDERICO

* Esta carta debió de ser escrita por las mismas fechas que las cartas 28 y 29 a Fernández Almagro y la 5 a Guillén (época del «arreglo» de *Canciones*). Mario Hernández, en su introducción a *Federico y su mundo,* de Francisco García Lorca (p. xix), fecha la carta en junio de 1926. Pero se corrige en la página 165 de su edición del *Romancero gitano* (Madrid: Alianza Editorial, 1981).

A Melchor Fernández Almagro (29)

[Granada, finales de febrero-
principios de marzo, 1926]

Queridísimo Melchorito:

Recibí tu carta. Estoy con el pie en el estribo. El asunto de mis libros está completamente resuelto. Ya te contaré cómo los voy a hacer. Quiero que salgan los tres en el mes de abril. Ahora quisiera resolver la Mariana Pineda ya que el cabrón de Martínez Sierra se ha portado como tal. Pero Martínez Sierra *ignora mi fantasía*. No sabe él, la *que se ha echado* encima conmigo. Cabrón.

[Caricatura de Gregorio Martínez Sierra, con cuernos, pintas y largo rabo. En su frente está escrito «*cretonas de varios precios*». De su boca salen las palabras, «*¡Qué emoción! ¡Es emocionante! ¡Ay corazón de lirios!*»]

Me parece excelente la idea de poner mis títeres en el teatrillo nuevo. Dentro de pocos días estoy ahí y los entregaré. Me parece que pueden divertir mucho. Los he arreglado un poco. Las canciones cantadas quedan deliciosas. Pero ¿quién hará de Don Cristobical? El martes lo más tarde estaré en esa. ¿Quieres que te avise? Contéstame a vuelta de correo.

Lo que va resultando ya un latazo es Mariana Pineda. Porque ya veremos... pero ¿la quiere *poner* alguien? A mí me gustaría por mi familia.

Lo que no cabe duda es que *siento el teatro*. En estos días se me ha ocurrido hacer una comedia cuyos personajes son *ampliaciones fotográficas*. Esas gentes que vemos en las porterías. Recién casados, sargentos, jóvenes muertos, muchedumbre anónima llena de bigotes y arrugas. Será terrible. Si *me enfoco* bien, puede tener un patetismo sin consuelo. En medio de toda esa gente yo pondré un hada auténtica. ¿La podremos representar en el teatrillo de Cipriano? Espero terminarla pronto. Adiós. Contéstame. Un abrazo para Cipriano y otro fuerte para ti de

FEDERICO

Estuvimos en la Calahorra. Ahí te mando esa espléndida foto del castillo.

Recuerdos a los demás amigos.

A Jorge Guillén (5)

[M: 2 marzo 1926]

Sr. D. Jorge Guillén (Catedrático de Lengua y Literatura españolas)
Reina Victoria Hotel, Murcia

> *Contéstame en seguida.*
> Estoy con el pie en el estribo
> para irme a Madrid.

Mi querido Jorge:

Todos los días son días que dedico a tu amistad, tan penetrante y tan delicada. Me doy por satisfecho tenién-

147

dote a ti y a otros pocos (poquísimos) por amigos. Tu recuerdo y el recuerdo de tu mujer y tus niños es para mí una fiesta de sonrisas y de cordialidad. A Teresita es imposible olvidarla.

Lo que más me conmueve de tu amistad es el interés que te tomas por el poeta. Si yo publico es porque vosotros (¡mis tres!) tengáis los libros... yo *en el fondo* no encuentro mi obra iluminada con la luz que pienso... tengo demasiado claroscuro. Tú eres generoso conmigo. Ge-ne-ro-so.

—

Mi conferencia de Góngora fue muy divertida para la gente porque yo me propuse *explicar* las *Soledades* para que las entendieran y no fueran brutos ¡y se enteraron! A lo menos, eso dijeron. La he trabajado tres meses. Ya te haré una copia y la mandaré. Tú me dices *como maestro* los disparates críticos que tenga. Pero fue *seria*. Mi voz era otra. Era una voz serena y llena de *años* ...¡los que tengo! Me dio un poco de pena ver que soy capaz de dar una conferencia sin reírme del público. Ya me estoy poniendo serio. Paso muchos ratos de tristeza pura. A veces me sorprendo cuando veo que soy *inteligente*. ¡La vejez!

—

Ahora trabajo mucho. Estoy terminando el romancero gitano. Nuevos temas y viejas sugestiones. La Guardia Civil va y viene por toda la Andalucía. Yo quisiera poderte leer el romance erótico de la «Casada infiel» o «Preciosa y el aire». «Preciosa y el aire» es un romance gitano, que es un *mito* inventado por mí. En esta parte del romancero procuro armonizar lo *mitológico gitano* con lo puramente vulgar de los días presentes, y

148

el resultante es extraño, pero creo que de belleza nueva. (Quiero conseguir que las imágenes que hago sobre los tipos sean *entendidos* por éstos; sean visiones del mundo que viven, y de esta manera hacer el romance *trabado* y sólido como una piedra). En componer el romance del «Gitanillo apaleado» he tardado *mes y medio,* pero... estoy satisfecho. El romance está fijo. La sangre que sale por la boca del gitanillo no es ya sangre... ¡es aire!

Quedará un libro de romances y se podrá decir que es un libro de Andalucía. ¡Eso sí! Andalucía no me vuelve la espalda... yo sé que ella no se ha acostado con ningún inglés... pero de esto no quiero seguir hablando. ¿No sabes por qué?

———

Ahora, como estás en Murcia, me acuerdo de su torre y de Guerrero, un amigo tan amable y encantador, con quien tan mal me porto. Abrázalo en mi nombre.

———

En estos días trabajo un *poema largo.* Ya la «Oda didáctica a Salvador Dalí» tiene ciento cincuenta versos alejandrinos, pero este poema tendrá cuatrocientos seguramente. Se llama «La sirena y el carabinero». En él se cuenta cómo un carabinero mata a una sirenita de la mar de un tiro de fusil. Es un idilio trágico. Al final habrá un gran llanto de sirenas, un llanto levantado y derrumbado al mismo tiempo, como el agua marina, mientras los carabineros ponen a la sirena en el cuarto de banderas. Todo con gran empaque lírico. El mismo lirismo para el carabinero que para la Sirena. Una luz plana y un *amor* y *serenidad* en la forma. Será un *latazo* pero a mí me conmueve profundamente esta historia.

Es el mito de la belleza inútil del mar. Luego quisiera que el agua se quedara tranquila, y describir minuciosamente una ola (la primera) y luego la segunda, y luego la tercera, así hasta que nos tropezáramos con una barquilla... barquilla donde el poeta dormirá su último sueño. Este final de agua movediza puede ser admirable si lo *consigo*. No digas nada a nadie de esto. Quiero hacerlo... pero que no me pregunten por él. Dime qué te parece. ¿Debo dar mi esfuerzo máximo en esto? ¿Responderán mis fuerzas? El Señor dirá.

Así empieza el poema.

El paisaje escaleno de espumas y de olivos
Recorta sus perfiles en el celeste duro.
Honda luz sin un pliegue de niebla se atiranta
como una espalda rosa de bañista desnuda .

———

Barcas y gallos abren, alas de pluma y lino
Delfines en hilera juegan a puentes rotos.
La luna de la tarde se despega redonda
y la casta colina da rumores y bálsamos

———

En la orilla del agua cantan los marineros
Canciones de bambú y estribillos de nieve.
Mapas equivocados, relucen en sus ojos.
Un Ecuador sin lumbre y una China sin aire.

———

Cornetines de cobre suenan bajo los arcos
donde por las mañanas, el pescador blasfema.
Cornetines de cobre que los carabineros
tocan en la batalla contra el mar y sus gentes.

y luego, después de otras estrofas, digo

La noche disfrazada con una piel de mulo
llega dando empujones a las barcas latinas.
El talle de la gracia queda lleno de sombra
y el mar pierde vergüenzas y virtudes doradas

¡Oh musas bailarinas de tiernos pies mojados.
En bellas trinidades sobre el jugoso césped
Acoged mis ofrendas dando al aire de altura
Nueve cantos distintos y una sola palabra.

—

Y luego empieza la narración. Hacer este poema me divierte mucho. Si me contestas en seguida, te enviaré algún romance gitano. ¿Y tú? ¿Por qué no me mandas cosas tuyas? Quiero hacer un artículo sobre tus versos en una primorosa revista que va a salir en Granada hecha por los *niños* que llegan con talento. ¡Granada es estupenda! Yo la dirijo *desde lejos*. Le he puesto este subtítulo: «Revista de alegría y juego literario». Aquí publicaremos el retrato presidiendo la revista del maravilloso profesor de poesía que construye en Murcia sus poemas, bajo la lámpara perfecta de Minerva.

Adiós, queridísimo Jorge. Te envío mi cariño y mi admiración con la de todos mis amigos de Granada entre los cuales se *cruzan* tus décimas bellas y exactas, que hacen ver tu mano exquisita, ligeramente morada sobre la blanca cuartilla.

Adiós, un abrazo muy fuerte.

FEDERICO

Palabras de cristal y brisa oscura
redondas sí, los peces mudos hablan.
Academia en el claustro de los iris
bajo el éxtasis denso y penetrable.
....

Esto es de una *Soledad* que estoy haciendo en honor de Góngora. Te divertirás cuando esté terminada.

¡No dirás que pierdo el tiempo!

Estoy hecho un *hacha*... un *tío* trabajando.

Soy un señorito que está *jamón*.

Contéstame antes que me vaya a Madrid.

A Melchor Fernández Almagro (30)

[Granada, febrero o marzo 1926] *

Queridísimo Melchorito:

Los muchachos *novísimos* de Granada van a hacer una Revista. Le llaman *Granada* porque no tienen más remedio, porque es una revista que les hacen de *balde* unos tipógrafos. Se llama *Granada,* pero en cambio se sub-llama «Revista de alegría y juego literario», con lo cual ya no te tendremos que explicar más. Yo pienso colaborar en todos los números, pues *puede quedar* una cosa simpatiquísima. Llevará cosas de Dalí. Y publicarán reproducciones de Manuel Angeles. Y fotos graciosísimas de poetas y amigos. Espero que en seguida enviarás un artículo muy bello. No tienes idea cómo *gustas* a estos muchachos. En el primer número saldré yo, tú, y Manuel Angeles. ¿Lo harás? Así lo espero, pues sería *terrible* que no lo hicieras en seguida. Guillén mandará cosas y creo que todos lo harán pues estos muchachos tienen la idea de no publicar ellos sino *notas* y cosas que estén bien a juicio de ellos. Espero que no desatenderás mi ruego.

Dentro de dos días recibirás el telegrama de mi llegada. Debes pedir algunas cosas a nuestros amigos que quieran ayudar esta labor tan sencilla y tan bonita.

Un abrazo muy fuerte de

FEDERICO

Envía a nombre de Antonio A[lvarez] de Cienfuegos. Plaza de Santa Ana, 18. ¡Gracias, Melchor!

* Esta carta debe ser de febrero o de marzo de 1926, lo que se deduce al compararla con la carta del 2 de marzo a Jorge Guillén.

A Manuel de Falla (13)

[M: 15 abril 1926]

[Tarjeta postal: Residencia de Estudiantes, Pinar, 17, Madrid. Banco del Duque de Alba y Pabellón de Laboratorios]

Sr. D. Manuel de Falla. Antequeruela, 11. Granada.

Un abrazo desde Madrid.

He visto a Mister Trend. No ha podido hablar como de costumbre.

Le supongo gozando de su estupendo jardín.

Recuerdos a los amigos y a su *secretario* particular (¡o postal!). Saludos a María del Carmen [Falla].

FEDERICO

A Manuel de Falla (14)

[Tarjeta postal]

[mayo o junio de 1926] *

Querido Don Manuel: Un fuerte abrazo como felicitación por el éxito del *Retablo* en Amsterdam. Va como director mi amigo Luis Buñuel y han ido también los jóvenes pintores Bores y Cossío, según noticias. Estoy seguro que todos habrán puesto su mejor parte para que salga bien. Adiós, Don Manuel, recuerdos a María del Carmen y un fuerte abrazo de

FEDERICO

Querido maestro: Ahí va tambien mi felicitación cariñosa y mi fuerte abrazo. Recibí su carta con el diario que me remitía. De nada tiene V. que darme gracias. No le he contestado antes porque con las oposiciones he estado loco. Pero ya acabaron y gracias a Dios felizmente. En Salamanca me tiene V. oficialmente, aunque muy poco tiempo, pues dentro de poco estaré en Granada. A María del Carmen mis saludos. Siempre de V. amigo

ANTONIO GALLEGO [BURÍN]

De todo corazón se une tambien en la felicitación y le envía un afectuoso saludo

JOSÉ ANTONIO RUBIO

* La tarjeta puede fecharse en abril o mayo de 1926 por las palabras que añade Antonio Gallego Burín. Según Antonio Gallego Morell, «El 23 de abril gana, tras las correspondientes oposiciones, la cátedra de Teoría de la Literatura y de las Artes de la Universidad de Salamanca». El 18 de junio del mismo año Gallego Burín solicitó la excedencia para incorporarse de nuevo a sus puestos de archivero y profesor auxiliar de la Universidad de Granada. Véase G. M., *Antonio Gallego Burín* (Madrid: Editorial Moneda y Crédito, 1973), pp. 49 y 52. El estreno del *Retablo* en Amsterdam tuvo lugar el 26 de abril (J. F. Aranda, *op. cit.*, p. 47).

A Jorge Guillén (6)

[Granada, julio 1926]

Sr. D. Jorge Guillén (poeta), «Ateneo», Valladolid

Mi querido Jorge:
Te llamo la atención. No es posible, con lo mucho que yo te quiero, que no tengamos el lazo encantador de la correspondencia.

No puede ser. Yo quiero escribirte y saber de ti con frecuencia.

Estoy en el campo. Andalucía arde por los cuatro costados de su cuerpo. Yo bebo agua de pozo, y como manzanas (me acuerdo de tus niños), manzanas agrias y dulces. Lo que no he podido obtener hasta ahora ha sido «el puro café de paloma» que toma en su celda el *seráfico en punta* Gerardo Diego *. ¡Cuánto más bello y original es tomar el café de Puerto Rico! ¡Y cuánto más raro! El puro café de paloma parece un producto obtenido por necesidades de guerra. Tiene una *realidad* espantosa. No sigo. ¿Para qué?

Yo espero que no me olvides, ni tu mujer tampoco. Y que me escribirás. Yo te enviaré poemas nuevos y tú harás lo propio conmigo. Muchos recuerdos cariñosos a Germaine y a los niños. Tú recibe un abrazo cordial de tu amigo, admirador y *polo*

FEDERICO

Te dirigí la carta al Ateneo porque no recuerdo tus señas. Las mías son

Apeadero de San Pascual
Prov. de Granada

Si me escribes en seguida manda la carta a estas señas y si no, a la Acera del Casino, 31, pero escríbeme pronto.

¿Has visto el comentario de Cassou en el *Mercure* sobre la oda?

Adiós.

Lávate los ojos con jabón de idioma. (Por las mañanas nada más) *.

TU Y YO ¡SOMOS POETAS!
¡POETAS!
PARA ALEGRIA NUESTRA
(POETAS VIEJISIMOS)
1926

* Lorca alude a estos versos de Gerardo Diego:

> *Adivino aun su alma caligráfica*
> *y más admiraría la última paciencia*
> *paciencia mineral del diputado a Cortes*
> *que obtiene el café puro de paloma*
> *y se lava la frente con jabón de idioma.*

(«Poema a Violante», *Poesía de creación* [Barcelona: Seix Barral, 1974], p. 214.)

** El «comentario de [Jean] Cassou» en el *Mercure de France* apareció en el número del 1 de julio, 1926, p. 235.

A Manuel de Falla (15)

[Tarjeta postal: Castillo de los Moros, Lanjarón]

[M: Lanjarón, 6 agosto 1926]

Sr. D. Manuel de Falla. Antequeruela Alta, 11. Granada

He pasado rápidamente por Granada sin poderlo saludar. Mi madre ha tenido unos fuertes cólicos hepáticos y hemos tenido necesidad de venir a Lanjarón con gran prisa. Gracias a Dios, estas aguas de la *Capuchina* la han puesto buena con una rapidez milagrosa, y ya estamos todos lo contentos que se podrá suponer.

Espero dentro de unos días charlar con usted y María del Carmen en su jardín. Muchos recuerdos de todos. Para usted un abrazo cariñoso de

FEDERICO

Hotel España. Lanjarón.

A Jorge Guillén (7)

[Tarjeta postal: Lanjarón, vista parcial]

[M: 6 agosto 1926]

Sr. D. Jorge Guillén (Poeta), Ateneo, Valladolid

Mil gracias por la tarjeta.

Pero yo soy ambicioso y espero una carta. Estoy en Sierra Nevada y bajo muchas tardes al mar. ¡Qué mar prodigioso el Mediterráneo del Sur! ¡Sur, Sur! (admirable palabra sur). La fantasía más increíble se desarrolla de modo lógico y sereno. Los rasgos andaluces se entrelazan con rasgos de un norte fijo y tamizado.

Yo trabajo como siempre. Me *he propuesto* terminar el Romancero gitano. Aquí he hecho dos nuevos romances que me han costado un esfuerzo extraordinario. Además quiero dirigirte una epístola sobre la poesía y arte poética, que será un poema largo, *monótono*, estructurado, antidecorativo y *latazo*. ¡Ay Poesía de mi corazón! ¡Ay Retórica de mi voz!

Muchas cosas cariñosas a Germaine y tus hijos Teresita y Claudio. Un abrazo para ti de

FEDERICO

A Salvador Dalí

[*Fragmento*]

[¿agosto 1926?]

1.º Voz de mi corazón e imaginación
2.º Retórica de mi voz y arquitectura
3.º Cimiento de mi razón y leyes físicas y poéticas

Y nada más. Lo demás sobra.

* * *

A Eduardo Marquina

[finales del verano 1926] *

Querido Marquina: Margarita Xirgu quedó en contestarme su impresión de la lectura *de la latosísima* Mariana Pineda. No lo ha hecho. Sé que su madre ha muerto, pero ya hace tiempo y además ella no por eso se va a retirar de las tablas.

Yo no sé qué hacer y estoy fastidiado, porque como mis padres no ven *nada práctico* en mis actuaciones literarias están disgustados conmigo y no hacen más que señalarme el ejemplo de mi hermano Paquito, estudiante de Oxford lleno de laureles.

Aunque sea una lata para usted le ruego no me olvide en esta situación indecisa. El verano se acaba y yo sigo colgado, sin el menor atisbo de iniciar mi labor de poeta dramático, en la cual tengo tanta fe y tanta *alegría*.

No deje de contestarme lo que piensa y cuál es su opinión.

¿Debo escribir yo a Margarita? Si usted considera perdido el asunto, dígamelo también.

Salude a todos los de su familia.

Eduardo, usted sabrá disculpar estas molestias que le causo.

¡No me olvide!

Ahí va un gran abrazo de

FEDERICO

s/c Acera del Casino 31
Granada

---

* «El verano se acaba», escribe Lorca. La carta podría ser de agosto y es, seguramente, de 1926 y no 1927, como escribe Arturo del Hoyo (O. C. II, 1298); en octubre de aquel año Lorca informa a Fernández Almagro (carta 33) que ha escrito dos veces ya a Marquina.

A Jorge Guillén (8)

[M: 2 septiembre 1926]

Señor don Jorge Guillén (poeta), *Ateneo,* Valladolid

Mi querido Jorge:

A pesar de tu promesa no he recibido carta, ni sé nada de tu vida en este verano. Yo *he decidido* prepararme para unas oposiciones a cátedra de Literatura, pues creo que tengo vocación (lentamente va surgiendo en mí) y capacidad de entusiasmo.

Quiero, por otra parte, ser independiente y afirmar mi personalidad dentro de mi familia, que me da, naturalmente, toda clase de gustos y facilidades. Apenas lo he dicho en casa, mis padres se han puesto contentísimos y me han prometido, si empiezo pronto a estudiar, darme dinero para un viaje por Italia que yo sueño hace años.

Yo estoy *decidido* y quiero decidirme más, pero *no sé cómo se hacen las cosas.* Desde luego tendré que darme grandes golpes en la cabeza para realizar esto, porque yo no como, ni bebo, ni entiendo más que en la Poesía. Y para eso me dirijo a ti. ¿Qué crees tú que debo hacer para empezar seriamente mi preparación de profesor?... ¡sí! ¿profesor de poesía? ¿Qué debo hacer? ¿Adónde debo ir? ¿Qué debo estudiar? ¿Qué *disciplinas* me serán convenientes? Contéstame. Yo no tengo prisa, pero quiero hacer esto para justificar mi actitud (ya definitiva) poética.

Contéstame en seguida y sé bueno. Yo seré un discípulo tuyo y de Salinas, y hago voto de obediencia y fervor académico.

Por otra parte no tengo otra salida y siento mi voz pobre pero iluminada en las salas bajas de las otras gentes... y además... ¿está esto mal pensado?... ¿Es que yo no puedo hacerlo?

Adiós. No te olvides de mí.

Ahora estoy en «la Huerta de San Vicente» situada en la Vega de Granada. Hay tantos jazmines en el jardín y tantas «damas de noche» que por la madrugada nos da a todos en casa un dolor lírico de cabeza, tan maravilloso como el que sufre el agua detenida. Y sin embargo, ¡nada es *excesivo*! Este es el prodigio de Andalucía.

Si me contestas te enviaré poemas. Envíame tú algunos.

Saluda a tu mujer y a tus hijos (preciosos niños).

Esperando tu consejo te envía un abrazo

Federico

Dime las señas de Salinas.

Dirige las cartas a la Acera del Casino, 31, Granada.

¡Por Dios! No vayas a tomar mi carta a broma lírica porque esté expresada de *sopetón* y sin preámbulo. Déjame todavía en el jardín de los saltos, que ya tendré lugar de vestir las franelas y los aires fríos de la meditación.

* Contestada por Guillén en su carta de Valladolid, fechada el 1 de septiembre [sic] 1926 (Guillén, *op. cit.*, pp. 95-6).

A Jorge Guillén (9)

[Tarjeta postal]

[M: 7 septiembre 1926]

D. Jorge Guillén. Ateneo. Valladolid.

Querido Jorge:

Mañana te escribiré una carta con versos y demás golosinas. Hoy no he tenido tiempo. Pero no quiero dejar de pasar el correo.

Tus poemas, admirables. El «cruel esplendor espiral del gorgorito», portentoso.

El poema de los *cuandos* y la Primavera delgada se va como un río de belleza y de amor último por nuestros ojos.

El romance, delicioso. Fue una fiesta para mí y para mis jóvenes amigos de Granada, que tanto te admiran y te conocen *.

Hubo muchos comentarios, desde el agudo y fino, hasta el delicioso y andalucísimo «¡Qué tío!».

Queremos (si podemos) traerte a dar dos conferencias (a ti y a Salinas) y creemos que se conseguirá. ¿Vendrías?

Hasta mañana. Cosas a Teresita y Claudie. Recuerdos a tu familia y Germaine. Un abrazo

FEDERICO

Muchos saludos a Gómez Orbaneja y demás amigos.

* Lorca se refiere a tres poemas incluidos por Guillén en su carta del 1 de septiembre. Los primeros versos son: «Yo vi la rosa; clausura...», «Cuando el espacio, sin afán, resume», y (el romance) «La acumulación triunfal».

A Jorge Guillén (10)

[M: 9 septiembre 1926] *

Sr. D. Jorge Guillén (poeta), *Ateneo,* Valladolid

Querido Jorge:

No sabes cómo agradezco tus consejos. Serán notables las notas que tomo porque yo me fijo en cosas siempre raras de un autor. Pero además de este trabajo *ordenado* de lecturas ¿crees tú que debo trabajar *con alguien*? ¿Que debo marchar a algún sitio? ¿Debo ir de lector? Porque esperar *leyendo* en Granada. el momento de la oposición me parece excesivo, ¿no crees? Dime algo sobre esto. Además ¿tardaré mucho tiempo? Esto es importante. Porque yo necesito *estar colocado*. Figúrate que quisiera casarme. ¿Podría hacerlo? No. Y esto es lo que quiero solucionar. Voy viendo que mi corazón busca un huerto y una fuentecilla como en mis primeros poemas. No huerto de flores divinas y mariposas de rico, sino huerto de aire y de hojas monótonas donde miren al cielo, domesticados, mis cinco sentidos. Háblame de qué podré ser profesor o... ¡algo! No creas que estoy en *relaciones* con ninguna muchacha, pero ¿es que no es inminente?... Mi corazón busca un huerto etc., etc... (¡qué etcéteras más llenos de poesía y novedad!).

*   *   *

Ya te dije en la postal que tus poemas me han gustado extraordinariamente. Son castos y profundos. Son una invitación a la astronomía. El mar empequeñecido y los marineros de jalea de muchas poesías recientes, se ahogan en esta monótona y depurada «agua duramente verde» que va como un friso de mármol al sitio eterno y *simpático* de la verdadera poesía, que es amor, esfuerzo y *renunciamiento*. (San Sebastián). Cuando la poesía se llena de trompetas y de colgaduras, se convierte la academia en casa de trato. Yo sólo te sé decir que odio el órgano, la lira, y la flauta. Amo la voz humana. La sola voz humana, empobrecida por el amor, y desligada de paisajes *que matan*. La voz debe desligarse de las armonías de las cosas y del *concierto de la naturaleza,* para fluir su sola nota. La poesía es otro

162

mundo. Hay que cerrar las puertas por donde se escapa a los oídos bajos y a las lenguas desatadas. Hay que encerrarse con ella. Y allí dejar correr la voz divina y pobre, mientras cegamos el surtidor. El surtidor no.

Cuando digo voz quiero decir poema. El poema que no está vestido no es poema, como el mármol que no está labrado no es estatua.

* * *

Por eso me gustan tanto tus poesías. Así pienso de la poesía. Y sin embargo creo que todos pecamos. Todavía no se ha hecho el poema que atraviese el corazón como una espada. Yo me admiro cuando pienso que la *emoción* de los músicos (Bach) se apoya y está envuelta en una perfecta y complicada matemática.

—

Tus poemas tienen (sobre todo las décimas) polos y ecuador. ¡Así! Altísimo Poeta.

—

Ahora digamos ¡Dios nos libre del trópico! (ruega por mí).

—

Porque yo soy un pecador. He destrozado muchas veces momentos divinos de poesía por no sufrir el calor que me daban en las manos. Ahora ya soy otro, y cada vez seré más.

—

No puedes hacerte idea lo que me he reído con esa deliciosa enfermedad del «dolor del zapato blanco.» Exquisito. Es un dolor maravilloso para que le dé a Juan Ramón en ese ojo fantástico que tiene.

Escríbeme. Y dime cosas de la cátedra. Aliéntame, o proponme otra cosa. Y ahora, después de besar a tus hijos y saludar a Germaine de mi parte, oye este nuevo romance gitano.

SAN MIGUEL ARCANGEL

(esto es una romería)

Se ven, desde las barandas
por los montes, montes, montes,
mulos y sombras de mulos
cargados de girasoles.

Los ojos en las umbrías,
se empañan de inmensa noche.
En los recodos del aire
cruje la aurora salobre.

Dos cielos de mulos blancos
cierran sus ojos de azogue,
dando a las altas penumbras
un final de corazones.
Y el agua se pone fría
para que nadie la toque.
Agua loca y descubierta
por los montes, montes, montes.

* * *

San Miguel lleno de encajes
en la alcoba de su torre,
enseña sus bellos muslos
ceñidos por los faroles.

164

Arcángel domesticado
en el gesto de las doce,
finge una cólera dulce
de plumas y ruiseñores.
San Miguel canta en los vidrios,
(Efebo de tres mil noches)
fragante de agua colonia
y lejano de las flores.

* * *

Por debajo de la sierra,
el mar abre sus balcones.
Las orillas de la luna,
pierden juncos, ganan voces.

Vienen manolas comiendo
semilla de girasoles,
los grandes culos ocultos
como planetas de cobre.

Vienen altos caballeros
y damas de triste porte,
morenas por la nostalgia
de un ayer de ruiseñores,
y el obispo de Manila
dice misa con dos filos
para mujeres y hombres.

* * *

San Miguel se estaba quieto
en la alcoba de su torre,
con las enaguas cuajadas
de espejitos y entredoses.
San Miguel rey de los globos
y de los números nones
en el primor berberisco
de gritos y miradores **

¿Qué te parece?
 Y este otro.

REYERTA DE MOZOS

En la mitad del barranco
las navajas de Albacete,
bellas de sangre contraria
relucen como los peces.

Una dura luz de naipe
recorta en el agrio verde,
caballos enfurecidos
y perfiles de jinetes.

En la copa de un olivo
lloran dos viejas mujeres.
El toro de la reyerta
se sube por las paredes.

—

Angeles negros traían
pañuelos y agua de nieve.
Angeles con grandes alas
de navajas de Albacete.

—

Juan Antonio el de Montilla
rueda muerto la pendiente
el cuerpo lleno de lirios
y una granada en las sienes.
Ahora monta cruz de fuego
carretera de la muerte.

—

El juez con guardia civil
por los olivares viene.

Sangre resbalada gime,
muda canción de serpiente.

Señores guardias civiles.
Aquí pasó lo de siempre.
Han muerto cuatro romanos
y cinco cartagineses.

———

La tarde loca de higueras
y de rumores calientes,
cae desmayada en los muslos
heridos, de los jinetes.

Y ángeles negros volaban
por el aire de poniente.
Angeles de largas trenzas
y corazones de aceite.

———

Ya está. No dejes de escribirme. Ahora trabajo mucho.
Voy a dar tres conferencias. «El mito de San Sebastián».
Quisiera me mandaras una foto del «San Sebastián» de
Berruguete. En la segunda conferencia proyectaré varios
famosos. Si tú no puedes, encarga a Orbaneja, que lo
hará, pues sabe la simpatía que yo guardo de su amis-
tad. *Queremos traerte*. Ya te hablaré más tarde. Adiós.
Saluda a todos. Y recibe un abrazo fuerte de

FEDERICO
(poeta incorregible)

También me gustaría *ir de lector* una temporada.
París sería el ideal. ¿Pudiera conseguir esto? Ocurre
una cosa. Mi familia me da todo el dinero que quiera
y más, en cuanto me vean en un camino… como diré…
oficial. ¡Eso es, oficial!

Pero por primera vez *se oponen* a que siga haciendo versos sin pensar en nada. Basta una cosa mínima de esfuerzo mío para que ellos queden satisfechos. Por eso quiero empezar a hacer algo... oficial. Lo de lector sería bueno antes de cualquier oposición y útil para la orientación de catedrático. Tú has sido, ¿verdad?

Dime cosas.

Ya he mandado pedir el fichero. ¡Qué notas fantásticas va a llevar! De camino voy sintiendo una comezón y una gana aguda de alejarme de España. *Allí fuera* podré hacer mi «Diego Corrientes» y otros poemas intensos que aquí no puedo mirar.

Además me libertaré (en el buen sentido de la palabra) de la familia y me iré solo a los montes para ver amanecer, sin tener que volver a casa. Amanecer de la responsabilidad. Seré responsable del sol y de las brisas. Puerta de la paternidad.

Tú me contestas y me dices *los pasos* que tengo que dar para hacerme lector. Salinas me dirá los pasos para ser profesor.

¿Pero, y si no tengo condiciones? Porque yo no soy inteligente ni *trabajador* (¡un flojo!). Entonces... ¡ya veremos!

Un abrazo de

FEDERICO

No te olvides de contestarme, que se pasa el tiempo.

CANCION

> *Lento perfume y corazón sin gama*
> *aire definitivo en lo redondo*
> *corazón fijo vencedor de nortes*
> *quiero dejaros y quedarme solo.*

—

En la estrella polar decapitada

En la brújula rota y sumergida

—

* Lorca contesta la carta de Guillén del 1 de septiembre de 1928 (Guillén, p. 105). El poema «Canción» está escrito en el reverso de la hoja en que Lorca escribió la posdata (véase Guillén, p. 104).

** Es difícil saber si García Lorca quería dejar espacio entre los cuartetos de estos dos romances. He abierto espacios donde el manuscrito *parecía* tenerlos.

A Melchor Fernández Almagro (31)

[Granada, primera quincena de octubre de 1926]

Querido Melchorito:

Perdona que no te haya escrito antes. Pero siempre te recordamos. Ahora vamos a inaugurar el Ateneo en una solemne sesión dedicada a Soto de Rojas, nuestro poeta jardinero. Yo haré una conferencia esa noche. Por la tarde le pondremos una lápida en la casa de los Mascarones donde vivió.

Ahora toda la sección de Literatura te llama cariñosamente. ¿Quieres venir a esta fiesta? Si no vienes porque tus ocupaciones y panorama político lo impiden, envía a Constantino [Ruiz Carnero] uno o varios artículos sobre el poeta y los jardines de Granada, para que sirvan de enseñanza a las gentes. Esto hazlo en seguida, porque el día nueve es la sesión y los artículos tienen que salir antes de ese día.

¿Lo harás? Hazlo, Melchorito. No podemos prescindir de ti, y esto es como si estuvieras entre nosotros. No tardes en hacerlos. En la sesión se tocarán canciones del siglo XVII dirigidas por Falla y cantadas por seises y niños.

Esto será precioso.

Debes de hacer esto. Adiós, Melchorito. Recibe abrazos y besos de

FEDERICO

La sesión inaugural del Ateneo, en que Lorca leyó su conferencia sobre Soto, tuvo lugar el 17 de octubre (véase la nota a la carta 11 a Jorge Guillén).

A Melchor Fernández Almagro (32)

[Tarjeta postal: Alhambra de Granada]

[M: Granada, 20 octubre 1926]

Sr. D. Melchorito F. Almagro. Administración del Correo Central. Madrid.

¡Abrazos! Se celebró homenaje a Soto. Mañana será el azulejo y el poema de Gerardo [Diego].

Adiós. ¡Más abrazos!

FEDERICO

En cuanto llegue a Málaga le escribiré y le daré los datos que me pide.

Reciba un abrazo de

EMILIO [PRADOS]

A Jorge Guillén (11)

[Tarjeta postal. Granada. Alhambra. Patio de la Alberca]

[octubre de 1926]

Sr. D. Jorge Guillén. Capuchinas, 16. Murcia.

Querido Jorge: Un abrazo muy cariñoso. ¿No vienes a Granada? Se celebró homenaje a Soto de Rojas. Está

170

Emilio Prados pasando una temporada conmigo. Adiós.
Eres *cruel* no escribiéndome.

Abrazos

FEDERICO

Recibí su carta cariñosísima. Conforme llegue a Málaga le
escribiré. Muchas gracias por sus maravillosos poemas, que saldrán dentro de unos días.

Abrazos afectuosos de

E. PRADOS

El «homenaje» a que se refiere Lorca tuvo lugar el día 17 en
el Ateneo de Granada. Véase Comincioli, *op. cit.*, p. 161.

A Jorge Guillén (12)

[Tarjeta postal. Granada (Alhambra) Torre de las Infantas]

[octubre de 1926]

Sr. D. Jorge Guillén. Capuchinas, 16. Murcia

Querido Jorge: Recibimos tu postal. Gracias por tu
elogio. ¿Y esa carta? Todos los días te recordamos.
Abrazos.

FEDERICO

Querido amigo: Aún sigo aquí en Granada, en donde me
retiene Federico maravillándome con estas cosas. El lunes marcho para Málaga y empezará la tirada de *Litoral,* así es que
puede enviar esas correcciones, pues queda tiempo. ¡Me llevo
los libros de Federico! ¡Todos! Adiós, abrazos.

EMILIO PRADOS

A Melchor Fernández Almagro (33)

[Estampillas pegadas] *

[Granada, entre el 20 y el 28 de octubre 1926]

Yo no sé quiénes son estos respetables caballeros. Pero no cabe duda que son deliciosos. Ellos me dan idea de cómo España estaba en tinieblas en el siglo X y *nueve*. Parecen músicos, ¿no son músicos? Tú que eres un extraordinario conocedor del pasado siglo debes identificarlos en seguida.

Por eso te envío estas delicadas estampillas, nacidas en una noche de ópera italiana, noche de gorgorito caliente y nieve en los tejados. De las cuatro figuras me interesa la de Cuyás (¿quién es Cuyás?) porque se muere joven y es como un Bécquer vestido de invierno, mitad romano, mitad catedrático de literatura. La mujer que está mirando a través de sus gafas no lleva el miriñaque blanco como pueden suponer los poetas incautos. No hay más que ver el color de su frente para saber que esa dama de ilusión está vestida color de hueso y lleva una calavera coronada de rosas en las manos. Los otros comen pan casero regado con las características lágrimas de la época.

Queridísimo Melchorito, hacía tiempo que no te escribía una carta *a gusto*. Hoy te hago esta muy despacio y con verdadero cariño.

Hemos celebrado el homenaje a Soto, que ha resultado muy lucido. Mañana descubriremos el azulejo que le dedicamos, y leeremos un precioso poema que ha enviado Gerardo [Diego] para ese acto. Debes hacer, a pesar de todo, un artículo sobre Soto y el Ateneo en el *Defensor*. Quisiéramos que propusieras tú algo que se te ocurra para realizar en seguida, y desde luego debes venir a dar una conferencia y a pasar unos días

172

conmigo. Aquí ha estado Emilio Prados (ayer se fue). Se ha llevado todos mis libros y *saldrán* cuanto antes. Te dedico uno en unión de Salinas y Guillén, mis mejores amigos. Las tres personas más encantadoras que he conocido. Dime qué te parece. ¿Salen los tres al mismo tiempo o salen distanciados? Contesta.

Lo hemos pasado admirablemente. Hemos hecho excursiones automovilísticas a la Sierra, a la Alfaguara, a Guadix y el castillo de la Calahorra, a Jaén, y a la preciosa Antequera. Tengo ganas de que vengas para realizar el mismo plan. También va Emilio a hacer una preciosa impresión de la «Oda» con dibujos y estatuas para regalar a los amigos. Emilio me ha encargado una colección de libros de canciones populares y romances que pienso organizar en seguida. En ellos saldrá a luz por fin el cancionero granadino tan importante para esta clase de estudios todavía inédito. Como ves, tengo una enormidad de trabajo. Ahora *va saliendo* la oda a Juan Belmonte que, como salga como la veo, puede ser una cosa estupenda.

ola

ola   *[Se dibujan tres olas]*

ola

¡Hola, Melchorito!

— Tres minutos de descanso

Ahora vamos a un asunto feo, odioso, pero que tengo que resolver. ¿Tú me quieres ayudar? ¿Sí? Pues oye.

Como sabes, yo entregué la antipática «Mariana Pineda» a la Xirgu para que la leyera. Esta señora quedó en contestarme. Pero no lo ha hecho. Se murió su madre. Yo le puse un telegrama de pésame. No me ha contestado. La escribí a Marquina (el sinvergüenza y fresco Marquina). No me ha contestado. Le escribí otra vez. Tampoco me ha contestado. ¿Qué hago? Mi familia, disgustada conmigo porque dicen que no hago nada, no me dejan moverme de Granada. Yo estoy triste, como puedes suponer. Granada es odiosa para vivir en ella. Aquí, a pesar de todo, me *ahogo*.

Tengo varios proyectos, pero quiero dejar ultimada esta desastrosa intervención mía en el antro del teatro, intervención que hice para agradar a mis padres, y he fracasado con todo el equipo. Yo no lo siento por mí. Pero sí por mi padre, que es tan bueno y que hubiese tenido tanta alegría con el estreno de esta obra. Así es que tengo necesidad de arreglar este asunto. Tú me vas a hacer un pequeño favor. Vas a visitar a Eduardo Marquina de mi parte, en vista de que no me contesta, y le vas a decir que haga el favor de preguntar a la Xirgu su opinión sobre el drama y lo que piensa hacer. Y si no piensa nada, que devuelva la copia que tiene en su poder. Marquina, si yo no lo veo, queda encantado. El está satisfecho si Mariana Pineda no se pone y bastante le he mareado ya. Ahora bien, yo no sé, querido Melchorito, si le tengo que agradecer algo o no, porque su actitud (que se reflejó en la interviú con Milla en *La Esfera*) es equívoca y llena de nieblas **. Tú en seguida visitas a Marquina y le dices que vas de mi parte (y con interés tuyo, como es natural tratándose de mí) para preguntarle sobre el asunto de Mariana. El te empezará a dar *buenas razones* y *treguas*. No hagas caso. Tú insiste y dile que hable con la Xirgu y que claramente exponga su opinión. No tardes en hacerme este favor. Si la Xirgu no quiere representar mi obra y devuelve el original, tú te quedas con él como regalo de mi fracasada tentativa, en una época en que *no hay teatro* y tenemos que resignarnos. Pero haz porque Marquina dé sus razones. No tardes. Quiero saber qué pasa. ¡Es una verdadera lástima el tiempo que he perdido! Pero hay *mala fe* en todos. Marquina se pone

la careta queriendo *protegerme* pero no
todas partes gentuza y cretinismo. Perdor
jor que tú para esto. Eres amigo de Marqui
bien de ti y te *está agradecido* por tus ci
volas. Tú sirves mejor que yo para esto.
firme. Todo lo que tú hagas estará bien he
tú hagas será aceptado por mí. Toma la de
actitud que te parezca ante los acontecimie
no quieres hacer esto por cualquier causa,
disgusto. Me lo dices. Si te decides y quie
inmediatamente y escríbeme la marcha del *ca*
luego, si Mariana se representara yo ganaría
mi familia.

Se acabó.

Granada está admirable. El otoño empieza c
la elegancia y la luz que envía la Sierra. Ya ha d
primera nevada. Los amarillos empiezan infinitos
fundos a jugar con veinte clases de azules. Es i
queza que asombra, una riqueza que, estilizada y
es inabarcable. Granada definitivamente no es pict
ni siquiera para un impresionista. No es pictórica
un río no es arquitectónico. Todo corre, juega y s
capa. Poética y Musical. Una ciudad de fugas sin es
leto. Melancolía vertebrada.

Por eso puedo estar aquí. Adiós, Melchorito. Reci
dos a los amigos. Para ti un abrazo muy fuerte de

FEDERICO

¡No olvides eso!
¡Contesta en seguida!

* En esta carta y en la anterior Lorca dice que se ha celebrado ya el homenaje a Soto, y que la ceremonia del azulejo
«será mañana». En realidad, el azulejo fue colocado el día
28 de octubre (O. C. I, p. 1063 y II, p. 1551). Por tanto, la
carta 33 podría ser del 27 de octubre.

,as estampas llevan los siguientes nombres y fechas: Saldoni
..emedo (1807-1889); Santiago de Masarnau (1805-1882); Aspa
..09-1884) y Cuyás (1815-1839). Debajo de ellas Lorca ha dibu-
.o una cara llorosa con título ilegible.
** La entrevista que Lorca menciona es: Fernando de la
..lla, «Diálogos Actuales: Eduardo Marquina y los autores
..enes», *La Esfera*, 31 de julio de 1926, pp. 4-5. En la página 4
..menta Marquina: «No hay nada más injusto que la expre-
..ón de desdén hacia el autor nuevo, sacando a colación esa
..lgaridad de que 'quien tiene una onza la cambia'. No hablo
..e comedias de baja extracción. Estas, desgraciadamente, no
..on muy difíciles de colocar. Me refiero a otras de cierta altura
..teraria. Yo le aseguro a usted que no son pocos los casos de
..utores nuevos con onzas legítimas incambiables. Puedo ha-
..larle así por la sencilla razón de que conozco unas cuantas
..bras muy dignas de ser representadas, sin que haya medio
.humano de hacerles representar. Yo mismo he andado por esos
..escenarios tratando de convencer a las Empresas para que acep-
taran obras de autores nuevos. ¡Imposible! *Ahora mismo estoy
haciendo gestiones para que acepten una comedia de García
Llorca* [sic]. Lo que ocurre es que todos exigen de un autor
nuevo una obra maestra.»
La respuesta de Fernández Almagro a esta carta está publicada en Antonina Rodrigo, *op. cit.*, p. 82.

A Melchor Fernández Almagro (34)

[Granada, noviembre 1926] *

Queridísimo Melchorito:

Te agradezco mucho tu intervención en el asunto de
Mariana Pineda. A ver si lo terminamos de una vez.
No me contestas qué te parece, si deben salir los tres
libros de una vez o separados. Dime.

Espero tus gestiones, aunque sin ninguna clase de
esperanza.

Marquina adopta actitudes equívocas, y si se repre-
senta Mariana dirá que se «ha hecho por él». Es un
asco el teatro.

Ahora empiezo a trabajar. Termino el Romancero
gitano y *me hace cosquillas* un poema largo, inconcreto

176

todavía pero lírico, de un lirismo agudo y fabuloso de planos y rumores. No sé. ¡Pero saldrá! Tú sabes que yo acaricio la idea de este poema hace años.

Granada con la lluvia tiene esa divina luz de frente pensativa que nos recuerda la infancia. Luz de seis y media de la tarde cuando a la salida del colegio volvemos la esquina.

Adiós. ¿No vendrás? Valle-Inclán vendrá casi seguro porque el Ateneo lo traerá. Se hacen las gestiones. Saluda a los amigos.

Un abrazo cariñoso de

FEDERICO

* Fecho esta carta (G. M. propone 1927; *op. cit.*, p. 92) de acuerdo con la observación de Mario Hernández: «El poeta se hace eco de la carta [34]: ["No me contestas qué te parece, si deben salir los tres libros de una vez o separados. Dime."] Tiene que ser, además, anterior a enero de 1927, cuando se indispone con Prados...» (Mario Hernández, *op. cit.*, p. 171).

A Jorge Guillén (13)

[M: Granada, 8 noviembre 1926]

Sr. D. Jorge Guillén (catedrático de Literatura),
Universidad Murcia.

¡Guillén! ¡Guillén! ¡Guillén!
¿Por qué me has abandonado?

—

Está mal. Yo espero siempre carta tuya, pero la carta no llega. ¿Sabes que mis libros están *ya* en la imprenta? Te ruego me contestes a vuelta de correo esta pregunta. ¿Salen los tres a la vez? ¿O salen espaciados?

Dedico uno a Salinas, Melchorito y *tú*.

Soy más gallardo que su señoría. ¿Y esos poemas?

A pesar de todo, no quiero dejar de enviarte este fragmento del Romance de la Guardia civil que compongo estos días.

Lo empecé hace dos años… ¿recuerdas?

Los caballos negros son
Las herraduras son negras.
Sobre las capas relucen
manchas de tinta y de cera.
Tienen —por eso no lloran—
de plomo las calaveras.
Con el alma de charol
vienen por la carretera

Este trozo es todavía provisional. Ahora sigue…

Jorobados y nocturnos
por donde pasan ordenan,
Silencios de goma oscura
y miedos de fina arena.

Pasan, si quieren pasar
y ocultan en la cabeza,
una vaga astronomía
de pistolas inconcretas.

—

¡Oh ciudad de los gitanos!
En las esquinas banderas.
La luna y la calabaza
con las guindas en conserva.

¡Oh ciudad de los gitanos!
¿Quién te vio y no te recuerda?
¡Ciudad de dolor y almizcle
con las torres de canela!

Cuando llegaba la noche,
Noche que noche nochera
los gitanos en sus fraguas,
forjaban soles y flechas.

Un caballo malherido
llamaba a todas las puertas.
Gallos de vidrio cantaban
por Jerez de la Frontera.

El viento vuelve desnudo
la esquina de la sorpresa
en la noche platinoche
noche que noche nochera.

La Virgen y San José
perdieron sus castañuelas
y buscan a los gitanos
para ver si las encuentran.

La Virgen viene vestida
con un traje de alcaldesa,
de papel de chocolate
con los collares de almendras.

San José mueve los brazos
bajo una capa de seda.
Detrás va Pedro Domech
con tres sultanes de Persia.

179

La media luna soñaba
un éxtasis de cigüeña.
Estandartes y faroles
invaden las azoteas.

Por los espejos sollozan
bailarines sin caderas.
¡Agua y sombra, sombra y agua
por Jerez de la Frontera!

———

¡Oh ciudad de los gitanos!
¡En las esquinas banderas!
¡Apaga tus verdes luces
que viene la benemérita!
¡Oh ciudad de los gitanos!
¿Quién te vio y no te recuerda?

———

———

dos versos faltan, etc., etc.

Hasta aquí llevo hecho. Ahora llega la Guardia Civil
y destruye la ciudad. Luego se van los guardias al cuartel y allí brindan con anís Cazalla por la muerte de los
gitanos. Las escenas del saqueo serán preciosas. A veces, sin que se sepa por qué, se convertirán en centu-
riones romanos. Este romance será larguísimo, pero de
los mejores. La apoteosis final de la Guardia Civil es
emocionante.

Una vez terminado este romance y el «Romance del
martirio de la gitana Santa Olalla de Mérida,» daré
por terminado el libro. Será bárbaro. Creo que es un

buen libro. Después no tocaré *¡jamás! ¡jamás!* este tema.
Adiós...

Guillén. Guillén. Guillén.
¿Por qué me has abandonado?

FEDERICO

Apéndice

I

Transcribo a continuación la *Suite del Regreso* que Gallego Morell encontró entre los papeles de Melchor Fernández Almagro, y que reproduce en una nota a la carta 15 (véase G. M., *op. cit.*, pp. 59 y ss.). Gallego Morell (p. 60) y, siguiéndole, Arturo del Hoyo *(O. C.* II, 1535) afirman que algunos de estos poemas fueron publicados en *Verso y Prosa*. En realidad, aparecieron en el suplemento literario de *La Verdad* de Murcia (núm. 18, 11 de mayo de 1924). Véase Francisco Javier Díez de Revenga, *Revistas literarias murcianas relacionadas con la Generación del 27* (2.ª edición, Murcia, 1979), págs. 116-9.

Tampoco es cierto que la *Suite* esté dedicada a Luis Buñuel, como escriben Gallego Morell y Arturo del Hoyo. La dedicatoria está tachada, probablemente por el propio poeta, al igual que los poemas «Sirena», «Realidad», «Si tú...», «Flecha» y «Casi-Elegía».

[A Luis Buñuel]

EL REGRESO

Yo vuelvo
por mis alas

¡Dejadme volver!

¡Quiero morirme siendo
amanecer!

¡Quiero morirme siendo
ayer!

Yo vuelvo
por mis alas

¡Dejadme retornar!

Quiero morirme siendo
manantial

Quiero morirme fuera
de la mar

CORRIENTE

El que camina
se enturbia

El agua corriente
no ve las estrellas.

El que camina
se olvida.

Y el que se para
sueña.

HACIA...

Vuelve
¡corazón!
vuelve.

Por las selvas del amor
no verás gentes.
Tendrás claros manantiales
en lo verde.
Hallarás la rosa inmensa
del siempre.
Y dirás ¡Amor! ¡amor!
sin que tu herida
se cierre.

Vuelve
¡corazón mío!
vuelve.

[SIRENA

¡Qué claro está el horizonte!
¿Y esta tristeza?

(Se irá corriendo
conforme regresas)

¡Cómo brilla el horizonte!
¿y esta tristeza?

(Ven a mis brazos
¿No ves
cómo se aleja?)

185

¡Oh qué llama de horizonte
¿y esta tristeza?

(Arde conmigo
y con ella.)]

RECODO

Quiero volver a la infancia
y de la infancia a la sombra.

   ¿Te vas ruiseñor?
     Vete.

Quiero volver a la sombra
y de la sombra a la flor

   ¿Te vas aroma?
    ¡Vete!

Quiero volver a la flor
y de la flor
a mi corazón

   ¿Te vas amor?
    ¡Adiós!

(¡A mi desierto corazón!)

[REALIDAD

Mi madre leía
un drama de Hugo
Los troncos ardían.
En la negra sala
doña Sol moría
como un cisne rubio
de melancolía.

La niebla de enero
los caminos cubría.
Pastores espectros
iban y venían.

———

Yo debí cortar
mi rosa aquel día
Rosa apasionada
de color sombría
al par que los troncos
dorados ardían.]

[*SI TU...*

El cielo se perderá.
Muchacha campesina
Bajo el cerezo
lleno de rojos gritos
te deseo.

El cielo se borrará...

Si entendieras esto
al pasar por el árbol
me darías tus besos.]

DESPEDIDA

Me despediré
En la encrucijada
Para entrar en el camino
de mi alma.

Despertando recuerdos
y horas malas

———

Llegaré al huertecillo
de mi canción blanca
y me echaré a temblar como
la estrella de la mañana.

FLECHA

El mar canta en azul

(Oh pobre
manantial)

El cielo canta en azul

(Oh pobre
estrellita sin mamá)
Dios canta en su tono

(¡Oh pobre mar!
¡Oh pobre manantial!)

[CASI-ELEGIA

Tanto vivir.
¿Para qué?
El sendero es aburrido
y no hay amor bastante.

Tanta prisa
¿Para qué?
Para tomar la barca
que va a ninguna parte.

¡Amigos míos volved!
¡volved a vuestro venero!
No derraméis el alma
en el vaso
de la Muerte.]

RAFAGA

Pasaba mi niña

¡Qué bonita iba!
con su vestidito
de muselina.
Y una mariposa
prendida.

¡Síguela muchacho!
la vereda arriba
y si ves que llora
o medita
Píntale el corazón
con purp[ur]ina
y dile que no llore
si queda solita.

6 de agosto de 1921
Habitación

189

A Rafael Alberti

Carta publicada y transcrita de memoria, sobre un original perdido, en la p. 237 de R. Alberti, *La arboleda perdida* (Buenos Aires: Fabril, 1959), de donde copio el texto.

A Angel Barrios

Se dieron a conocer en Antonio Gallego Morell, *García Lorca: Cartas, postales, poemas y dibujos* (Madrid: Editorial Moneda y Crédito, 1968), p. 141. He cotejado la transcripción de G. M. con fotocopias de ambas cartas, corrigiendo varios errores.

A José Bello Lasierra

Reproduzco los fragmentos publicados por José Francisco Aranda en «Más inéditos de García Lorca», *Insula,* número 157 (15 diciembre 1959).

191

Me informa amablemente Aranda que la selección fue hecha por el propio José Bello, quien, asimismo, fechó los fragmentos en el verano de 1925.

A José de Ciria y Escalante

Fueron publicadas por vez primera en Antonio Gallego Morell (ed.), *García Lorca: Cartas, postales, poemas y dibujos,* pp. 127-30. He corregido el texto utilizando fotocopias de ambas cartas.

A José María Chacón y Calvo

Fueron publicadas en Zenaida Gutiérrez-Vega, *José María Chacón y Calvo* (Madrid: Instituto de Cultura Hispánica, 1969), pp. 47-8, 51-2 y 95. Las cartas 1 y 2 están reproducidas en facsímil en dicho libro, lo que me permite hacer alguna corrección textual.

A Ana María Dalí

Estas nueve cartas (guardadas por Ana María Dalí, Cadaqués, Gerona) fueron publicadas, la mayoría de ellas por primera vez, en F. G. L., *Cartas a sus amigos* (Barcelona: Ediciones Cobalto, 1950), pp. 69-82.

Varias cartas han sido reproducidas en facsímil: en *Salvador Dalí visto por su hermana* (Barcelona: Editorial Juventud, 1949) aparece la carta 4 (entre pp. 120 y 121) y la carta 8 (entre pp. 128 y 129). En Antonina Rodrigo, *García Lorca en Cataluña* (Barcelona: Planeta, 1975) se reproduce un fragmento de la carta 1 (p. 51).

Dichas reproducciones dejan ver lo poco satisfactorio que es el texto de la edición Cobalto. He podido cotejar la serie entera con las fotocopias que me manda amablemente Ana María Dalí. No me ha sido posible ver el artículo de Joseph Velasco, «Contribution a l'étude de la correspondance de F. G. L.», *Annales Universitaires,* Avignon, núm. 2 (noviembre 1975), artículo que dice seguir

Arturo del Hoyo en la ordenación de estas cartas en la 21.ª edición de las *Obras completas* (véase vol. II, p. 1582).

A Salvador Dalí

Sigo una copia del original, hecha por Mario Hernández. Se trata de un fragmento que fue cortado a tijera de una carta más larga. Por su contenido teórico, M. Hernández deduce iba dirigida a Dalí y no a su hermana.

A Manuel de Falla

Las cartas 1, 2, 3, 6, 7, 8, 10, 13 a 16 y 18 fueron publicadas por primera vez en Antonio Gallego Morell, *Cartas, postales, poemas y dibujos,* pp. 107-13, con una reproducción en color de la carta 6.

La carta 5 fue publicada en facsímil en F. G. L. *Dibujos y documentos* (Granada: Galería de Exposiciones del Banco de Granada, marzo-abril 1977).

La carta 17 está publicada en facsímil en Manuel Orozco, *Falla. Biografía ilustrada* (Barcelona: Ediciones Destino, 1968), p. 111.

La carta 4 fue publicada en facsímil por Mario Hernández en su artículo «García Lorca y Manuel de Falla: una carta y una obra inéditas», *El País* (Madrid), 24 de diciembre de 1977, suplemento Arte y Pensamiento, p. iv.

Las cartas 9, 11, 12, 19, 20 y 21 son rigurosamente inéditas. Las transcribo de fotocopias procedentes del archivo de Mario Hernández.

He utilizado, para corregir el texto de las cartas a Falla, fotocopias de todas, menos de la 3 y la 18.

A su familia

La carta 1 fue publicada por Pablo Luis Avila en «Una lettera inedita di G.L.», *Strumenti critici,* 17 de febrero de 1972, pp. 80-85. He podido examinar una fotocopia del original, gracias a Antonina Rodrigo.

Para la carta 2 sigo el texto de Francisco García Lorca, *Federico y su mundo* (Madrid: Alianza, 1980), p. xxiv.

El tercer fragmento proviene del mismo libro, p. xxv.

Para la carta 4, sigo el texto publicado por Miguel García-Posada en *Trece de Nieve* 1/2, diciembre de 1976, páginas 59-61.

Nuestra carta 5 parece ser un fragmento de una carta escrita durante la visita de Lorca a Cuba en la primavera de 1930. Copio del inverso de una fotografía que se guarda en el archivo familiar.

A Melchor Fernández Almagro

Publicadas, por vez primera, en Antonio Gallego Morell (ed.), *Cartas, postales, poemas y dibujos,* pp. 39-104. En dicha obra están reproducidas en color fragmentos de las cartas 36 y 57, y cartas 47 y 14 *in toto.* La carta 28 fue publicada en facsímil como tarjeta de Navidad por el Sr. Joan Cendrós y familia (Barcelona, diciembre de 1967).

He podido cotejar el texto impreso de casi todas las cartas con fotocopias de los originales. No me ha sido posible conseguir fotocopias de las cartas 27, 44, 46 y 48.

A Antonio Gallego Burín

Copio el texto de las cartas 1, 3, 4 y 6 de Antonio Gallego Morell, «Unas cartas de García Lorca a Antonio Gallego Burín», *Cuadernos de Arte y Literatura,* I, Granada, pp. 73-81.

Copio el telegrama y la carta 5 de Antonio Gallego Morell, *Antonio Gallego Burín* (Madrid: Editorial Moneda y Crédito, 1973), pp. 35 y 37.

A Francisco García Lorca

El telegrama (carta 1) proviene de Francisco García Lorca, *Federico y su mundo* (Madrid: Alianza Editorial,

1980), pp. xiv-xv. Carta 2, *ibid.*, p. xvi. Carta 3, *ibid.*, pp. xix-xxiv.

A Jorge Guillén

Las cartas a Jorge Guillén se conservan en la Widener Library (Houghton Reading Room) de la Universidad de Harvard, Cambridge, Massachusetts. Llevan la signatura 60M-12 (942).

Estas cartas, y las de Guillén a Lorca, fueron publicadas en su totalidad en J. G., *Federico en persona. Semblanza y epistolario* (Buenos Aires: Emecé Editores, 1959). Según Arturo del Hoyo (*O. C., II*, p. 1580) algunas salieron en *Inventario*, Milán, año III, núm. I (primavera, 1950); *Cuadernos del Congreso para la Libertad de la Cultura*, París, núm. 20 (1956); y *Europa Letteraria*, Roma, octubre 1960.

He utilizado, a la hora de corregir la ya excelente transcripción de Guillén, una fotocopia de la serie entera.

A Juan Ramón Jiménez

Copio del texto publicado por Antonio Gallego Morell, *Cartas, postales, poemas y dibujos,* edición citada, p. 117.

A Hermenegildo Lanz

Esta tarjeta postal inédita formó parte de la exposición «F. G. L. Dibujos y documentos» en el Banco de Granada (marzo-abril de 1977).

A Emilia Llanos Medina

Fueron publicadas en Antonio Gallego Morell (ed.), *Cartas, poemas, postales y dibujos,* pp. 133-4.

A Eduardo Marquina

Sigo el texto publicado en facsímil por José Montero Alonso, *Vida de Eduardo Marquina* (Madrid: Editora Nacional, 1965), p. 205.

A Gregorio Prieto

El primer fragmento proviene de G. Prieto, «Historia de un libro», *Cuadernos Hispanoamericanos,* julio-agosto de 1949. La carta 2 está reproducida en facsímil en Gregorio Prieto, *Lorca en color* (Madrid: Editora Nacional, 1968), p. 188 y en *13 dibujos de Lorca,* del mismo autor (Madrid: C.S.I.C., 1979).

A Antonio Rodríguez Espinosa

Fueron publicadas por Marie Laffranque, «Quelques billets de Federico García Lorca», *Bulletin Hispanique,* LXV, números 1-2 (enero-junio-1963), pp. 133-6. Sigo el texto y las fechas propuestas por M. Laffranque.

A Constantino Ruiz Carnero

Copio esta carta de *Cartas, postales, poemas y dibujos,* p. 159.

A Regino Sainz de la Maza

Las cartas 1 a 6 se publicaron en Antonina Rodrigo, *García Lorca en Cataluña* (Barcelona: Planeta, 1975), pp. 154-161. Las cartas 7 y 8 fueron dadas a conocer por Mario Hernández en *Trece de Nieve* 1/2, Segunda Epoca, 2.ª edición (diciembre de 1976), pp. 67 y 237-8, quien, asimismo, reprodujo en color el dibujo de la carta 7 (tapa de detrás). La carta 2 se reproduce en facsímil en Antonina Rodrigo, *op. cit.*, p. 159.

A Adolfo Salazar

Las cartas 1, 2 y 4 fueron publicadas, con comentario prolijo, por Mario Hernández en *Trece de Nieve* 1/2, Segunda Epoca, diciembre 1976, pp. 51-54, versión que he cotejado con fotocopias de los originales.

La carta 3 es un fragmento recogido por María Teresa Babín en su tesis doctoral *F. G. L. y su obra* (Universidad de Puerto Rico, 1939), p. 11, nota 5.

A María del Reposo Urquía

Sigo el texto publicado por Ian Gibson en el «Número Homenaje a Federico García Lorca» de *ABC,* Domingo, 6 de noviembre de 1966. Véase «Federico, en Baeza», páginas sin numerar. Gibson afirma que la carta fue «escrita el 1 de febrero de 1918».

A Adriano del Valle

Las cinco cartas se conservan en la Sala de Manuscritos de la Biblioteca Nacional de Madrid (Ms. 21693, olim NA [no accesible] 180). Utilizando estos autógrafos, hemos podido corregir varios errores de transcripción.

Las cartas fueron publicadas por vez primera en Robert Marrast, «Cinco cartas inéditas de F. G. L.», *Insula,* números 228-9 (noviembre-diciembre 1965), p. 13. La cronología propuesta por Marrast fue discutida por Heide Neurather en «A propósito de "Cinco cartas inéditas de Federico G. L."», *Insula,* núm. 259, p. 7.

A Fernando Vílchez

Está reproducida en facsímil en Manuel Orozco Díaz, «Un inédito de Lorca», *Insula,* núm. 355 (junio de 1976), página 4.